TOP 사고력 수학

실력도 **탑!** 재미도 **탑!**
사고력 수학의 으뜸

KB086414

A6

이 책의 목차

TOP 사고력 수학의 특징

TOP사고력 수학 A/B 시리즈 는 수학 경시 대회와 영재교육원을 대비하여 꼭 알아야 할 교과서 밖 수학 개념과 실전 문제로 학생을 최상위권으로 이끌어줄 교재입니다.

보통의 상위권 실전 문제집들이 주제별로 적은 수의 문제를 나열하는 구성이라면 TOP사고력 수학은 풍부한 개념과 여러 가지 문제해결의 원리를 캐릭터들과 함께 재미있게 살펴본 후, 유형별로 충분히 연습할 수 있도록 하였습니다. 더불어 "사고력 쑥쑥" 이라는 이름의 별도 구성을 두어 주제별 학습 이후에 다양한 문제를 해결하면서 주제별 다지기 학습을 할 수 있도록 했습니다.

수학적 "깜냥" 키우기

깜냥의 뜻 - 스스로 일을 헤아릴 수 있는 능력

TOP사고력 수학의 학습 목표는 처음 보는 문제를 만나더라도 문제가 요구하는 바를 정확하게 파악하고 스스로 해결할 수 있는 능력, 즉 수학적 깜냥을 키우는 것입니다. 그런 의미에서 이 책의 주인공은 깜냥에서 따온 깜이와 냥이라는 두 아이와 수학 선생님입니다. 다양한 실전 문제를 해결하기에 앞서서 개념과 원리를 깜이, 냥이와 선생님이 이야기하듯이 재미있게 알려 줍니다.

깜이　　　냥이　　　선생님

스토리텔링 수학!

스토리텔링의 본질은 이야기를 전달하는 것이 아니라 말하는 사람과 듣는 사람 간의 상호 작용을 통해서 듣는 사람이 스스로 생각하면서 이해할 수 있도록 하는 것입니다. TOP사고력 수학은 만화나 이야기를 매개체로 하여 내용을 전달하는 형식적인 스토리텔링이 아니라 아이에게 상황을 그림으로 보여주고 질문을 하고, 활동 자료로 직접 해 볼 수 있도록 하고, 게임을 하면서 연습할 수 있도록 하는 가장 효과적인 스토리텔링 수학입니다.

체계적 구성과 충분한 연습으로 사고력 쑥쑥!!

각 단원의 시작은 "생각열기"로 학생들이 공부할 주제에 대해 먼저 생각해 보도록 질문을 던지고, 다음 쪽에서 선생님의 설명이 이어집니다. 작은 주제별로도 상황에 맞는 개념과 원리를 충분히 알아본 후, "탐구 유형"에서 유형별로 문제를 다루어 보도록 하였습니다. 단원의 마지막인 "TOP 사고력"에서는 실전 사고력 문제로 단원을 마무리하게 됩니다.

책의 뒷부분에는 각 단원의 복습 및 다지기를 할 수 있는 "사고력 쑥쑥"을 두어 충분한 연습으로 공부한 내용을 자기 것으로 만들 수 있도록 하였습니다.

예비 활동 가이드

TOP사고력 수학 A/B 시리즈는 실전에 강한 수학 공부를 목표로 하기 때문에 교구의 도움 없이 문제 해결을 하도록 하였습니다. 그 대신 주제에 따라 스스로 원리를 이해하고 문제를 해결하는데 도움이 되도록 예비 활동 가이드를 두어 필요에 따라 문제를 해결해 보기 전에 해 볼 수 있는 활동을 제시하였습니다.

저자 동영상 강의

정답지에서 글로 전달하기 힘든 교육 방법, 활용의 예, 개념의 확장 등의 동영상을 제공합니다. 동영상은 PC에서 볼 수도 있고, QR코드를 이용하여 모바일로 이용할 수도 있습니다.

TOP 사고력 수학 시리즈

- **영역별 나선형식 반복 학습 구조**
- **나이, 학년 단계별 수학의 각 영역 비중 차등**
- **경시, 영재교육원 등의 최신 문제 경향 반영**

유아 단계와 초등 단계의 학습 목표

- **K/P시리즈** - 초등 입학 전 알아야 할 필수적인 수학 개념을 익히면서 수감각, 공간지각력, 논리력, 문제 이해력 등 수학적 직관력을 키우기

- **A/B시리즈** - 초등 저학년을 대상으로 수학 경시, 영재교육원의 대비와 최상위권으로 이끌기

시리즈별 학습 단계

- **K시리즈** - 수학의 시작 단계(6~7세)
- **P시리즈** - 초등 입학 준비 단계(7~8세)
- **A시리즈** - 초등 1학년 과정을 마친 학생을 대상으로 한 심화 사고력(초1~초2)
- **B시리즈** - 초등 2학년 과정을 마친 학생을 대상으로 한 심화 사고력(초2~초3)

TOP 사고력 수학의 구성

생각열기

각 단원의 첫 페이지는 공부할 주제에 대한 발문의 역할을 하는 "생각열기"입니다.

재미있게 공부할 주제에 대한 호기심을 유발하고, 간단한 질문에 답하도록 합니다. 꼭 정답을 맞추기보다는 스스로 생각해 보는 것에 초점을 맞추도록 합니다.

스스로 먼저 생각하는데 방해가 되지 않도록 질문에 대한 설명은 종이를 1장 넘기면 다음 쪽에 있습니다.

원리 탐구

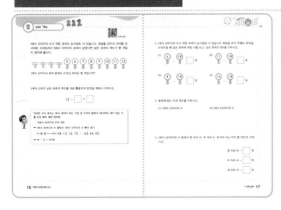

작은 주제별로 개념과 문제해결의 원리를 알아보고, 확인 문제를 해결해 봅니다.

탐구 유형

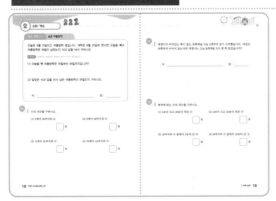

주제별로 여러 가지 유형별 문제를 공부합니다. 문제해결의 원리를 발견할 수 있도록 단계적으로 질문에 따라 문제를 해결해 보고, 연습 문제를 공부합니다.

TOP 사고력

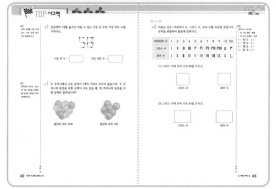

주제별 최고 난이도의 심화 문제를 공부합니다.

사고력 쑥쑥

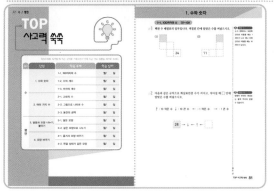

81쪽에서 112쪽까지 32쪽에 걸쳐서 앞에서 공부한 부분을 스스로 복습하고 다지기 하도록 합니다. 80쪽에는 작은 주제의 복습을 시작하는 날짜를 적어서 한 권을 마치는 동안 공부한 시간을 한 눈에 볼 수 있도록 했습니다.

예비 활동 가이드와 활동 자료

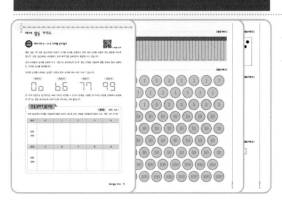

본문을 공부하기 전에 예비 활동을 소개하고 활동에 필요한 활동 자료가 들어 있습니다.

A 시리즈의 학습 내용

A1

수	1. 수와 숫자
	2. 여러 가지 수
평면	3. 닮음과 모양 나누기, 붙이기
	4. 모양 바꾸기

A2

측정	1. 비교하기
	2. 저울산과 넓이
연산	3. 연산 퍼즐
	4. 수와 식 만들기

A3

수	1. 수의 크기
	2. 조건에 맞는 수
평면	3. 모양 겹치기
	4. 모양의 개수

A4

연산	1. 지워진 연산 퍼즐
	2. 모양이 나타내는 수
입체	3. 쌓기나무의 관찰
	4. 입체 모양과 주사위

A5

규칙	1. 여러 가지 규칙
	2. 약속과 규칙
논리	3. 논리적 추론
	4. 논리 판단 퍼즐

A6

확률과 통계	1. 기준과 분류
	2. 다양한 방법의 수
문제 해결	3. 조건에 맞게 직접 해 보기
	4. 문제를 해결하는 방법

동영상 강의를 활용해요.

단원의 목차에는 동영상 이라는 표시가, 각 페이지의 윗부분에는 [QR] 모양이 있으면 동영상 강의가 있다는 뜻입니다.

동영상 강의에서는 문제를 해결하는 원리를 좀 더 쉽게 설명해 줍니다. 어려운 부분은 동영상 강의를 이용할 수 있습니다.

예비 활동을 활용해요.

단원의 목차에는 예비활동 이라는 표시가, 각 페이지의 윗부분에는 예비활동가이드 1쪽 표시가 있으면 문제를 풀기 전에 해 보면 좋은 활동이 있다는 뜻입니다.

예비 활동 가이드와 활동 자료를 이용하여 활동이나 게임을 먼저 해 보고 나서 책의 문제를 풀어보면 좀 더 재미있고, 쉽게 문제를 해결할 수 있습니다.

접는 선을 따라 종이를 접고 문제를 풀어요.

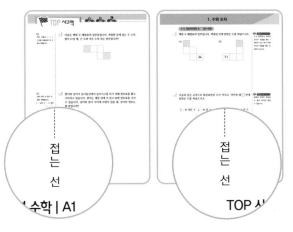

"TOP 사고력"과 "사고력 쑥쑥"에는 접는 선이 표시되어 있습니다. 접는 선 표시에 따라 종이를 접고 문제를 풀고, 어려운 경우 종이를 펼쳐서 도움글을 보고 해결해 봅니다.

TOP

사고력 수학

1. 기준과 분류

생각열기   몇 층에 가야 할까요?

탐구주제

TOP 사고력

몇 층에 가야 할까요?

냥이는 가족들과 옷을 파는 매장에 왔습니다. 입구에는 아래와 같은 층별 안내도가 있습니다.

층별로 파는 옷의 종류가 나누어져 있네. 살 옷을 미리 분류해 놓아야겠어.

TOP 매장 층별 안내	
6층	속옷/양말
5층	티셔츠/남방
4층	운동화/구두/슬리퍼
3층	외투/잠옷
2층	바지/치마
1층	모자/가방/넥타이

다음은 냥이네 가족이 사려는 옷을 나타낸 것입니다. 표에 층마다 살 수 있는 옷의 번호를 쓰시오.

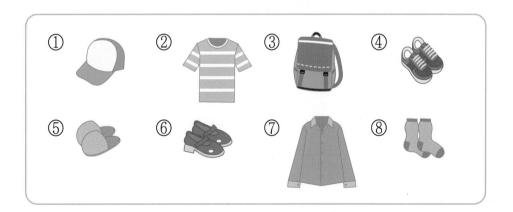

① ② ③ ④
⑤ ⑥ ⑦ ⑧

층수	1층	2층	3층	4층	5층	6층
옷						

층과 층 사이에는 모두 엘레베이터가 있습니다. 1층부터 필요한 층만 들리면서 옷을 모두 살 때까지 엘레베이터는 몇 번 타게 됩니까?

몇 층에서 무슨 옷을 살지 미리 분류해 놓으면 빠르게 빠트리지 않고 물건을 살 수 있어.

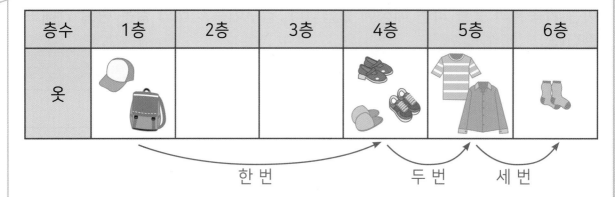

층수	1층	2층	3층	4층	5층	6층
옷						

한 번   두 번   세 번

냥이네 가족은 1층, 4층, 5층, 6층을 들려야 하니까 그 사이에 엘레베이터는 세 번 타야 해.

🌱 깜이는 어머니 심부름으로 분리수거를 하려고 합니다. 어떤 색의 수거함에 쓰레기를 가장 많이 넣어야 합니까?

분리수거할 쓰레기

종이   플라스틱   캔, 유리

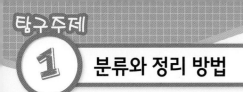

깜이는 교실 뒤 책장에 꽂혀 있는 책들을 정리하였습니다.

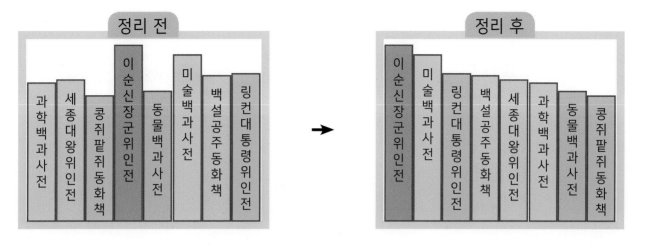

깜이가 책을 분류하고 정리한 방법은 무엇입니까?

다음 날 냥이는 깜이가 정리해 놓은 책을 살펴보더니 다시 책을 정리해 놓았습니다.

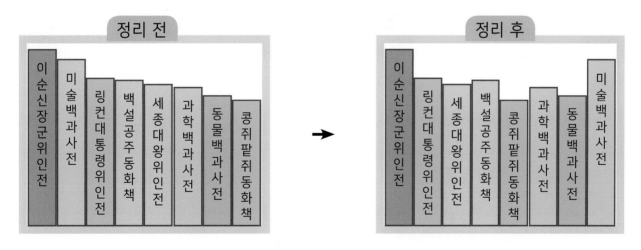

냥이가 책을 분류하고 정리한 방법은 무엇입니까?

두 가지 방법 외에 책을 분류하여 정리하는 방법을 설명하시오.

다음 날 주영이는 냥이가 정리한 책들을 또 다시 정리해 놓았습니다.

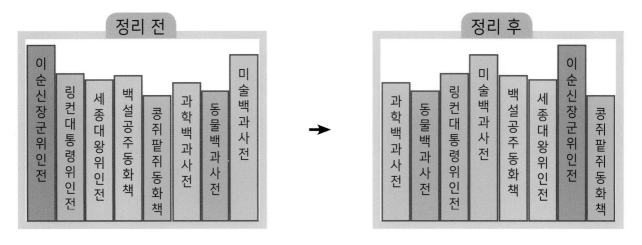

주영이가 책을 분류하고 정리한 방법은 무엇입니까?

송연이는 자신이 보던 책을 주영이가 정리한 방법에 맞도록 꽂아놓으려고 합니다. □ 안에 몇 번과 몇 번 책 사이에 넣으면 되는지 쓰시오.

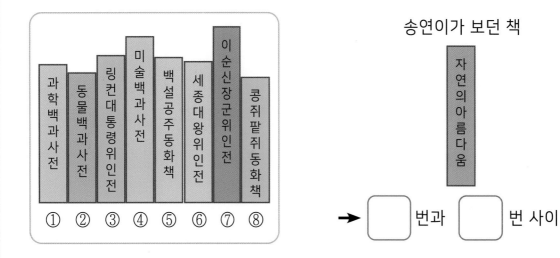

송연이가 보던 책

→ [   ] 번과 [   ] 번 사이

깜이와 냥이는 여러 가지 장갑을 서로 다른 분류 기준으로 분류하였습니다. 깜이와 냥이 중 올바르게 분류한 사람의 얼굴에 ○표 하시오.

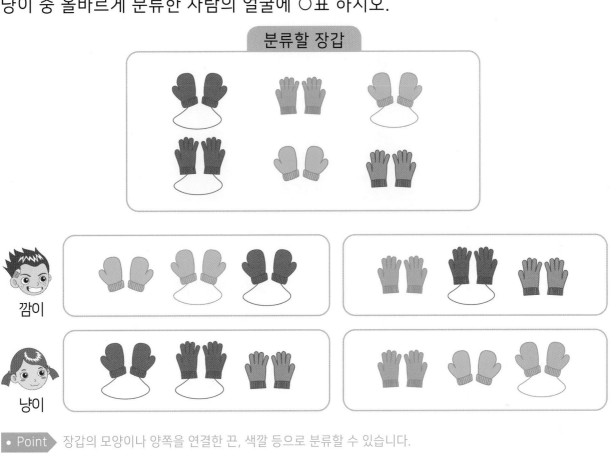

> • Point   장갑의 모양이나 양쪽을 연결한 끈, 색깔 등으로 분류할 수 있습니다.

연습

01 빨랫줄에 걸린 티셔츠들을 2가지로 분류하였습니다. 잘못 분류된 기호를 찾아 × 표 하시오.

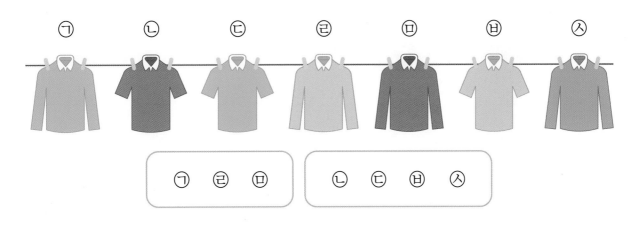

연습
02 물건들을 2가지로 분류하였습니다. □ 안에 아래 물건이 들어가야 하는 곳의 기호를 쓰시오.

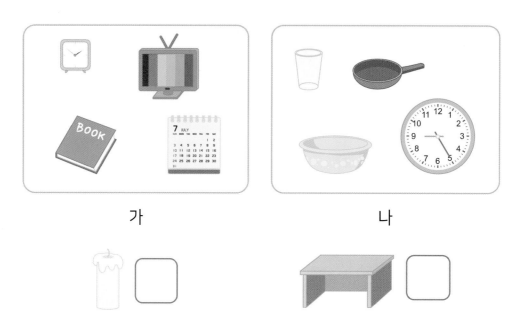

가   나

연습
03 그림들을 3가지로 분류하려고 합니다. 알맞은 그림의 번호를 넣어 분류를 완성하시오.

② ④	① ⑤	③

분류 기준
찾기

　단추의 분류

단추를 2가지로 분류한 것입니다. □ 안에 알맞은 분류 기준을 찾아 기호를 쓰시오.

(1) 　　　분류 기준 : ☐

(2) 　　　분류 기준 : ☐

| ㉠ : 단추의 모양 | ㉡ : 단추의 색깔 |
| ㉢ : 단춧구멍의 개수 | ㉣ : 단추의 크기 |

• Point ▷ 분류된 것들은 모두 같은 속성을 가지고 있어야 합니다.

연습

01 물건들을 2가지로 분류한 것입니다. 알맞은 분류 기준의 번호를 쓰시오.

① 먹는 것과 먹지 못하는 것

② 몸에 입는 것과 입지 못하는 것

③ 여름에 볼 수 있는 것과 겨울에 볼 수 있는 것

④ 전기를 사용하는 것과 사용하지 않는 것

연습
02 여러 가지 탈 것을 분류 기준을 정하여 각각 개수가 2개와 4개가 되도록 나누려고 합니다. 나눌 수 있는 분류 기준의 기호를 쓰시오.

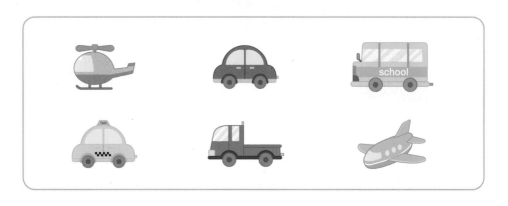

ⓐ 탈 것의 색깔   ⓑ 다니는 곳   ⓒ 탈 것의 크기

연습
03 글자를 3가지로 분류하였습니다. □ 안에 나눈 분류 기준의 기호를 써넣으시오.

간 한 전 잰 탄 촌	알 왈 갈 칠 올	웃 넛 섯 갓 핫 틋

분류 기준 : □

가. 글자의 색깔   나. 글자의 받침   다. 글자의 획 수

탐구주제

2 표로 나타낸 자료

어느 학교 1반의 학생 수는 28명인데 반에서 안경을 쓰는 사람이 몇 명인지 조사한 결과입니다.

- 안경을 쓰지 않은 여학생은 9명입니다.
- 안경을 쓴 남학생은 6명입니다.
- 안경을 쓰지 않은 학생은 18명입니다.

깜이는 조사한 내용을 보고 표로 만들었습니다. 표 안의 수는 해당되는 학생의 수를 나타낼 때, 가 칸의 수는 얼마입니까?

	안경 쓴 학생	안경을 쓰지 않은 학생
여학생 수(명)	나	9
남학생 수(명)	6	가

<1반의 안경 쓴 학생과 안경을 쓰지 않은 학생 수>

안경을 쓰지 않은 학생은 18명이라고 했지!

전체 학생이 28명이므로 안경을 쓴 학생 수를 알면 나 칸의 값을 알 수 있습니다. 나 칸의 수는 얼마입니까?

완성한 표를 보고 전체 남학생과 여학생 수를 구하시오.

남학생 : ☐ 명   여학생 : ☐ 명

2반의 학생 28명에게도 같은 조사를 했습니다. 냥이가 깜이와 같은 방법으로 표를 만들려고 할 때, 빈칸에 알맞은 수를 써넣으시오.

- 남학생은 모두 16명입니다.
- 안경을 쓰지 않은 사람은 21명입니다.
- 안경 쓴 남학생은 5명입니다.

	안경 쓴 학생	안경을 쓰지 않은 학생
여학생 수(명)		
남학생 수(명)	5	

<2반의 안경 쓴 학생과 안경을 쓰지 않은 학생 수>

안경을 쓴 학생은 모두 28-21=7(명)이야.

두 반의 결과를 비교하여 설명하였습니다. 맞는 말을 한 사람의 얼굴에 모두 ○표 하시오.

 : 2반의 여학생이 안경을 더 많이 썼어!

 : 2반이 안경을 쓰지 않은 학생이 더 많아!

 : 2반이 남학생이 더 많아.

 : 1반이 안경을 쓴 남학생이 더 많아.

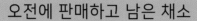

탐구 유형 2-1   **채소 채우기**

채소가게에서 오전에 판매하고 남은 채소를 각각 15개씩 같게 맞추려고 합니다. 가지는 양파보다 몇 개를 더 채워 놔야 하는지 구하시오.

오전에 판매하고 남은 채소

• Point ▶ 표로 정리한 다음 생각합니다.

(1) 오전에 판매하고 남은 채소의 개수를 세어서 표로 완성하시오.

채소	가지	당근	양파
남은 채소의 개수(개)			
채워야 할 채소의 개수(개)			

(2) 가지는 양파보다 몇 개를 더 채워 놔야 하는지 구하시오.

연습

01 물건들을 모양에 따라 3가지로 분류하여 표로 나타내었습니다. 표의 빈칸을 모두 채우시오.

모양	⬛	⬢	⬤
개수(개)			

표로 나타낸 자료

두 달의 날씨 비교

다음은 어느 해의 7월과 8월의 날씨를 비교한 표입니다. 표를 보고 올바르게 설명한 것의 번호를 모두 쓰시오.

날씨	맑은 날 ☀	흐린 날 ☁	비 온 날 🌧
날수(일)	15	7	9

<7월의 날씨>

날씨	맑은 날 ☀	흐린 날 ☁	비 온 날 🌧
날수(일)	19	8	4

<8월의 날씨>

① 7월에는 8월보다 비 온 날이 5일 더 많았습니다.

② 8월이 7월보다 흐린 날이 더 적었습니다.

③ 8월이 7월보다 하루가 더 많습니다.

④ 7월과 8월의 흐린 날을 모두 세면 15일입니다.

• Point 각 달의 날 수는 맑은 날, 흐린 날, 비 온 날의 날짜를 모두 더합니다.

연습

01 다음은 가 반과 나 반 학생들이 좋아하는 계절을 조사한 것입니다. 나 반의 가을을 좋아하는 학생은 가 반의 가을을 좋아하는 학생보다 5명 적습니다. 표의 빈칸을 채우시오.

계절	봄	여름	가을	겨울
학생 수(명)	5	4		2

<가 반>

계절	봄	여름	가을	겨울
학생 수(명)	4	9	7	3

<나 반>

연습 02 다음은 두 농장에서 기르는 가축의 종류와 수를 나타낸 표입니다. 두 표를 보고 말한 것 중 올바른 말의 개수를 구하시오.

가축	🦆	🐓	🐄
가축 수 (마리)	12	10	6

<㉠ 농장>

가축	🦆	🐓	🐄
가축 수 (마리)	6	11	9

<㉡ 농장>

- ㉠ 농장에서는 ㉡ 농장보다 닭을 두 배 더 기릅니다.
- ㉡ 농장이 ㉠ 농장보다 소를 더 많이 기릅니다.
- ㉠과 ㉡ 농장에서 기르는 오리를 합하면 모두 21마리입니다.

연습 03 동전 여러 개가 놓인 모습을 보고 서로 다른 분류 기준으로 각각 분류한 표입니다. 표를 보고 알 수 있는 것의 기호를 모두 쓰시오.

금액	10원	100원	500원
개수(개)	8	6	4

<동전의 금액>

가. 앞면으로 놓인 100원의 개수

나. 500원짜리 동전의 개수

다. 뒷면 중 100원짜리 동전의 개수

라. 전체 동전의 개수

놓인 면	앞면	뒷면
개수(개)	9	9

<동전이 놓인 면>

탐구 유형 2-3　　**표 완성하기**

어느 반 학생 24명이 여름과 겨울 중 더 좋아하는 계절을 표로 나타낸 것입니다. 겨울을 더 좋아하는 학생이 모두 9명일 때, 여름을 더 좋아하는 여학생 수와 전체 여학생 수를 각각 구하시오.

	여름	겨울
여학생 수(명)		5
남학생 수(명)	7	

<냥이네 반 학생들이 좋아하는 계절>

● Point　주어진 합으로 빈칸의 수를 구해 나갑니다.

(1) 겨울을 더 좋아하는 남학생은 몇 명입니까?

(2) 여름을 더 좋아하는 여학생의 수와 전체 여학생의 수를 각각 구하시오.

연습

01　어느 반 학생 24명이 강아지와 고양이 중 더 좋아하는 동물을 나타낸 표입니다. 강아지를 더 좋아하는 남학생이 5명일 때, 고양이를 더 좋아하는 여학생의 수를 구하시오.

	🐶	🐱
여학생 수(명)	6	
남학생 수(명)		4

<더 좋아하는 동물>

02 여러 가지 모양들을 모양과 색에 따라 분류하여 하나의 표로 나타내었습니다. 표의 빈칸에 알맞은 수를 써넣으시오.

	초록색	노란색	합계
■모양 개수(개)	2	6	8
▲모양 개수(개)			10
합계	6	12	18

<모양의 분류>

03 깜이네 반 학생들이 생일 선물로 받고 싶은 것을 조사하여 정리한 표입니다. 표의 빈칸에 알맞은 수를 써넣으시오.

	자전거	컴퓨터	게임기	합계
여학생 수(명)		6		11
남학생 수(명)	5		5	12
합계	7	8		23

<깜이네 반 학생들이 생일 선물로 받고 싶은 것>

01 16장의 카드 중 다음 조건을 모두 만족하는 카드는 모두 몇 장인지 구하시오.

세 가지 조건이 각각 8장 씩 있습니다.

- 색깔이 초록색 입니다.
- 얼굴이 네모 모양입니다.
- 눈이 2개입니다.

02 수 카드를 분류 기준을 정해 2가지로 분류했더니 아래와 같았습니다. 빈 곳에 카드의 수를 써넣으시오.

8장의 카드가 3장과 5장 으로 분류되었습니다.

| 9 | 6 | 12 | 3 |

| 5 | 7 | 19 | 8 |

| 12 | | |

접는 선

한 칸의 수가 잘못될 경우 칸의 가로줄과 세로줄에 있는 합계가 모두 달라집니다.

03 깜이네 반 학생들이 좋아하는 스포츠 종목을 나타낸 표인데 한 칸의 수를 잘못 적었습니다. 잘못 적은 수를 찾아 바르게 고치시오.

	야구	농구	축구	합계
여학생 수(명)	4	2	7	12
남학생 수(명)	8	2	3	13
합계	12	4	9	25

<깜이네 반 학생들이 좋아하는 스포츠 종목>

TOP of TOP

동그라미 모양을 모두 찾은 다음 다른 것과 색깔이나 크기가 다른 1개를 찾습니다.

04 모양들 중에서 아래의 분류 기준에 모두 맞는 것을 찾았더니 1개였습니다. 분류 기준에서 알맞은 말에 ○표 하시오.

• (세모, 네모, 동그라미) 모양입니다.

• (빨간색, 파란색, 초록색) 입니다.

• 크기는 (작습니다, 큽니다)

TOP 사고력 수학

2. 다양한 방법의 수

생각열기   학교 가는 길

탐구주제

1. 고르는 방법의 수

    1-1. 공원까지 가는 길 / 개수를 세어 가짓수 구하기

    1-2. 두 돌림판의 숫자 / 하나를 정해 놓고 가짓수 구하기

2. 조건에 맞게 선 잇기

    2-1. 옷을 고르는 방법 / 선 잇기로 방법의 수 찾기

3. 개수대로 묶는 방법의 수

    3-1. 별 그리기 / 하나를 빼고 그릴 수 있는 방법의 수

TOP 사고력

학교 가는 길

깜이와 냥이네 집에서 학교까지 가는 길을 나타낸 것입니다.

깜이가 냥이네 집을 거쳐 학교까지 가는 서로 다른 길을 모두 그려 보시오. 단, 한 번 갔던 길을 되돌아가지 않습니다.

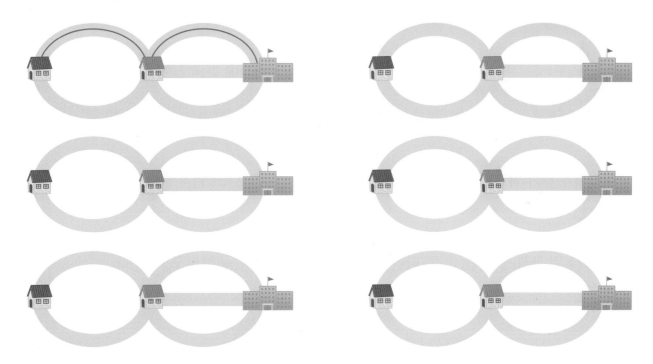

깜이네 집에서 학교로 바로 갈 수 있는 길이 생겼습니다. 깜이가 학교까지 가는 서로 다른 길은 모두 몇 개입니까?

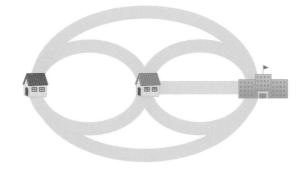

길을 하나씩 그려 보아도 되지만 경우를 나누어서 덧셈을 이용하면 더 간편하게 길의 개수를 구할 수 있어. 냥이네 집에 들려 학교에 가는 길과 들리지 않고 가는 길을 나누어 생각해봐.

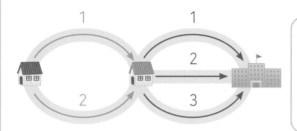

1번 길로 학교를 가는 방법 : 3가지
1 → 1, 1 → 2, 1 → 3
2번 길로 학교를 가는 방법 : 3가지
2 → 1, 2 → 2, 2 → 3

냥이네 집을 들려서 학교에 가는 길의 개수 ➡ 3+3=6(개)

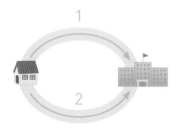

냥이네 집을 들리지 않고 학교에 가는 길의 개수
➡ 1, 2의 2개

따라서 냥이가 학교에 가는 서로 다른 길의 개수는 모두 6+2=8(개)가 있어.

🌱 주영이가 학교까지 가는 서로 다른 길은 모두 몇 개인지 구하시오.

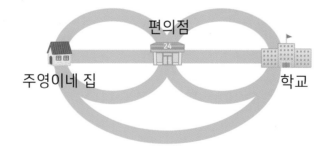

주영이네 집   편의점   학교

깜이와 냥이는 문구점에 학용품을 사러 갔습니다.

문구점의 학용품

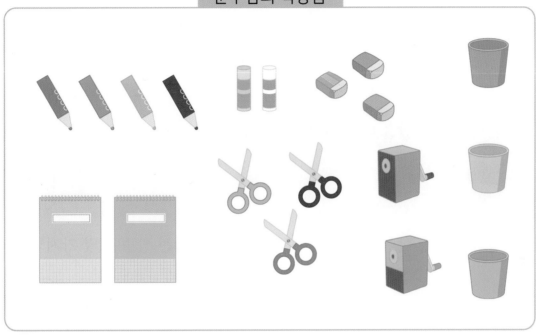

학용품을 고르는 방법은 각각 몇 가지가 있는지 알아보려고 합니다. 각 학용품의 개수를 세어 □ 안에 알맞은 수를 써넣으시오.

> 색연필은 4자루니까 그 중 한 자루를 고르는 방법은 4 가지가 있어.

① 색연필 1자루를 고르는 방법 : [   ] 가지

② 연필꽂이 중에서 노란색이 아닌 것 하나를 고르는 방법 : [   ] 가지

③ 노트 또는 지우개 중에서 하나를 고르는 방법 : [   ] 가지

④ 풀 또는 가위 중에서 하나를 고르는 방법 : [   ] 가지

> '노트 또는 지우개 중 하나'라는 말은 노트와 지우개를 모아 놓고 그 중에서 하나를 고른다는 뜻이야.

깜이는 노트 한 권과 색연필 한 자루를 사려고 합니다.

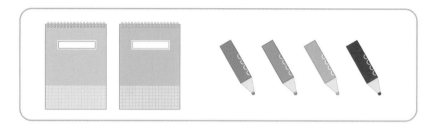

깜이가 노란색 노트를 샀을 때, 서로 다르게 색연필을 사는 방법은 몇 가지입니까?

 가지

깜이가 초록색 노트를 샀을 때, 서로 다르게 색연필을 사는 방법은 몇 가지입니까?

 가지

깜이가 서로 다르게 노트와 색연필을 사는 방법을 덧셈식으로 나타냈습니다. □ 안에 알맞은 수를 써넣으시오.

☐ + ☐ = ☐ (가지)

> 반대로 깜이가 색연필 한 자루를 먼저 산 다음 노트를 사는 방법도 같은 결과가 나와.

💡 깜이는 가위와 연필꽂이를 하나씩 더 사려고 합니다. 서로 다르게 가위와 연필꽂이를 사는 방법은 몇 가지입니까?

냥이네 집에서 공원까지 가는 방법을 나타낸 것입니다. 냥이가 공원까지 가는 서로 다른 방법은 몇 가지가 있는지 구하시오.

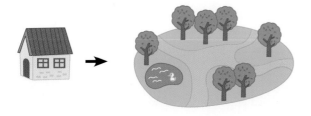

① 지하철 타고 가기

② 4가지 버스 중 하나 타고 가기

③ 자전거 타고 가기

• Point　각각 가는 방법의 가짓수를 모두 더합니다.

(1) 가는 방법이 한 가지가 아닌 여러 가지인 것은 지하철, 버스, 자전거 중 어느 것입니까?

(2) 각각 가는 방법의 가짓수를 더해서 공원까지 가는 서로 다른 방법은 몇 가지가 있는지 구하시오.

01 세 사람이 각자 다른 음료수를 시키려고 합니다. 두 사람이 먼저 사이다와 사과 주스를 시켰다면 나머지 한 사람이 고를 수 있는 음료수는 몇 가지가 있는지 구하시오.

메뉴판			
과일 음료수(주스)	아이스크림	탄산 음료수	따뜻한 음료(차)
· 사과 주스	· 딸기맛 아이스크림	· 사이다	· 코코아
· 오렌지 주스	· 바나나맛 아이스크림	· 콜라	· 우유
· 포도 주스	· 초코 아이스크림		· 유자차
· 망고 주스			

연습

02 깜이와 냥이가 서로 다른 우산 4개 중에서 하나씩을 고르려고 합니다. 깜이가 먼저 우산을 고른다고 할 때, 깜이와 냥이가 우산을 고르는 방법의 수를 각각 구하시오.

깜이가 우산을 고르는 방법의 수 : ☐ 개

냥이가 우산을 고르는 방법의 수 : ☐ 개

연습

03 곰, 악어, 돼지, 호랑이가 일렬로 줄을 서려고 합니다. 왼쪽부터 호랑이와 악어가 순서대로 나란히 설 때, 나머지 두 동물이 줄을 서는 서로 다른 방법은 몇 가지가 있는지 구하시오.

가 돌림판의 숫자를 십의 자리로, 나 돌림판의 숫자를 일의 자리로 하는 두 자리 수를 만들려고 합니다. 이때, 50보다 큰 수는 몇 개를 만들 수 있는지 구하시오.

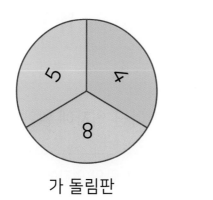

가 돌림판　　　　　　　　　나 돌림판

• Point　가 돌림판에서 십의 자리에 4가 오는 경우는 생각하지 않아도 됩니다.

(1) 50보다 큰 수를 만들려고 할 때, 십의 자리와 일의 자리 숫자가 될 수 있는 숫자는 각각 몇 개씩 있습니까?

가 돌림판 : [　] 개　　　　나 돌림판 : [　] 개

(2) 50보다 큰 수는 몇 개 만들 수 있는지 구하시오.

연습

01　파란색 카드 중 하나를 십의 자리 숫자, 초록색 카드 중 하나를 일의 자리 숫자로 하는 두 자리 수를 만들려고 합니다. 서로 다른 두 자리 수는 모두 몇 개 만들 수 있는지 구하시오.

4　　6　　2　　7

깜이, 냥이, 송연이 세 사람이 각자 다른 색의 의자를 준비했습니다.

깜이

냥이

송연

세 사람이 의자에 앉았는데 모두 자신의 의자가 아닌 의자에 앉게 되었습니다.

내 의자가 아니네. 그러고 보니 모두 다른 사람의 의자에 앉아 있어.

이렇게 한 사람이라도 다른 사람의 의자에 앉는 방법이 몇 개나 있을까?

깜이가 다른 사람의 의자에 앉았을 때, 세 사람이 모두 다른 의자에 앉도록 나머지 선을 그어 보시오.

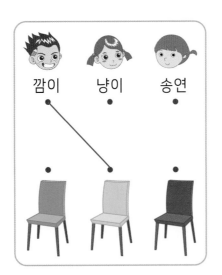

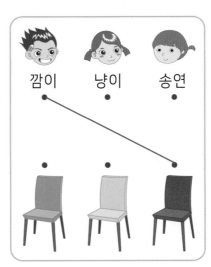

냥이와 송연이가 다른 의자에 앉는 선을 먼저 그려도 위에 두 가지 방법과 똑같이 선을 긋게 돼.

이번에는 한 사람만 자신의 의자에 앉는 경우를 알아보려고 합니다. 한 사람만 자신의 의자에 앉았을 때, 나머지는 서로 다른 의자에 앉도록 선을 그어 보시오.

각각 한 사람만 자신의 의자에 앉도록 먼저 선을 그어 봐.

두 사람만 자신의 의자에 앉도록 선을 그을 수 없습니다.

두 사람만 자기 의자에 앉는 방법은 없어.

세 사람 중 한 사람이라도 서로 다른 사람의 의자에 앉는 방법은 모두 몇 가지입니까?

탐구 유형 2-1 **옷을 고르는 방법**

깜이는 티셔츠와 반바지를 하나씩 고르려고 합니다. 티셔츠와 바지가 다른 색이 되도록 옷을 고르는 방법은 몇 가지가 있는지 구하시오.

• Point 조건에 따라 연결 할 수 있는 선을 모두 이어 봅니다.

(1) 빨간색 바지와 고를 수 있는 티셔츠를 모두 선으로 이으시오.

(2) 나머지 바지와 고를 수 있는 티셔츠를 모두 선으로 이은 다음 선의 개수를 세어 옷을 고르는 방법이 모두 몇 가지인지 구하시오.

연습

01 깜이와 냥이가 가위바위보를 하려고 합니다. 깜이가 가위바위보를 이기는 경우를 모두 선으로 이어서 몇 가지 방법이 있는지 구하시오.

02 3가지 색 중에 서로 다른 두개의 색을 골라 아래 칸에 한 칸씩 색칠하려고 합니다. 조건에 맞게 두 색을 선으로 이어서 색칠하는 방법은 모두 몇 가지인지 구하시오. 단, 같은 두 가지 색도 순서가 다르면 다른 방법으로 생각합니다.

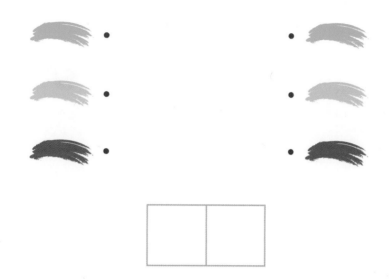

03 상자 안에 숫자가 쓰인 공 4개가 있습니다. 상자 안에서 공을 하나 뽑아서 십의 자리 숫자로, 나머지 3개 중에 하나를 뽑아 일의 자리 숫자로 할 때, 만들 수 있는 두 자리 수는 모두 몇 개인지 구하시오.

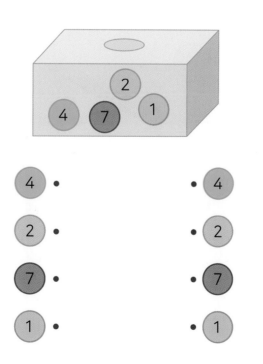

한국의 전통 악기 4개 중에서 몇 개의 악기를 골라 직접 체험해 보려고 합니다. 이때, 악기를 고르는 방법은 몇 가지가 있는지 알아보려고 합니다.

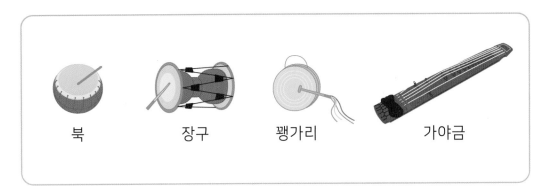

북   장구   꽹가리   가야금

4개의 악기 중 하나의 악기를 고르는 방법은 몇 가지가 있습니까?

4개의 악기 중 2개의 악기를 고르는 방법을 알아보려고 합니다. 직접 4개의 악기 중에서 2개의 악기를 서로 다른 방법으로 묶어 보시오.

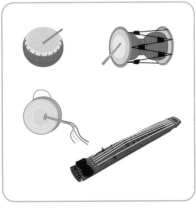
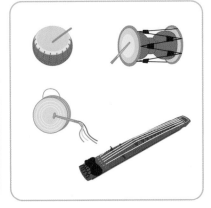

4개의 악기 중 3개의 악기를 고르려고 합니다. 서로 다른 방법으로 3개의 악기를 묶어 보시오.

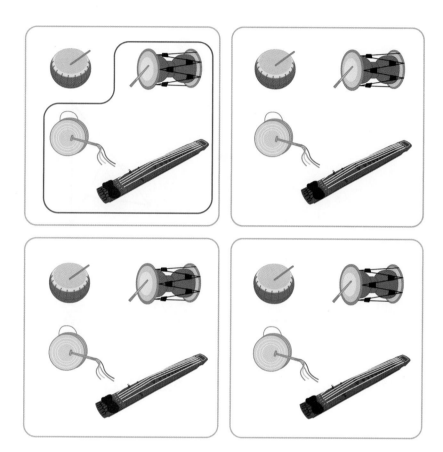

4개의 악기 중에서 3개의 악기를 고르는 방법은 4개의 악기 중에서 하나의 악기를 고르는 방법과 개수가 같습니다. 왜 그런지 설명하시오.

4개의 악기에 단소가 추가되어 5개의 악기 중에서 4개의 악기를 체험해 보려고 합니다. 4개의 악기를 고르는 방법은 몇 가지가 있는지 구하시오.

단소

탐구 유형 3-1 별 그리기

6개의 점에서 5개의 점을 이어서 별 모양을 그리려고 합니다. 보기 의 모양을 제외하고 서로 다른 별 모양은 모두 몇 개 더 그릴 수 있는지 구하시오.

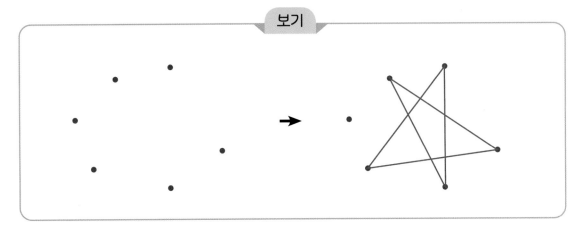

보기

• Point ▷ 6개의 점 중에서 한 개의 점을 제외하고 나머지 5개의 점으로 그릴 수 있는 별의 개수를 구합니다.

 연습

01 점 4개 중에서 2개를 골라 곧은 선으로 이으려고 합니다. 이을 수 있는 서로 다른 선은 모두 몇 가지가 있는지 구하시오.

연습

02 7개의 쿠키 중에서 6개를 골라 친구들과 나누어 먹으려고 합니다. 고르는 방법은 모두 몇 가지가 있는지 구하시오.

연습

03 교실 안에 10명의 학생이 있는데 1명을 제외한 9명의 학생들이 밖으로 나가려고 합니다. 밖으로 나가는 9명이 서로 다른 경우는 모두 몇 가지가 있는지 구하시오.

TOP 사고력

송연이네 집에서 편의점 까지 가는 방법은 모두 2 가지입니다.

01 송연이네 집에서 주영이네 집으로 갈 때, 편의점을 지나서 가는 방법은 모두 몇 가지인지 구하시오. 단, 한 번 왔던 길은 다시 지나지 않습니다.

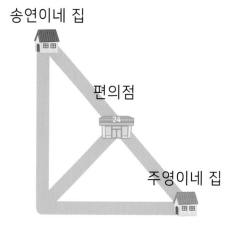

송연이네 집

편의점

주영이네 집

두 카드의 숫자가 같을 때와 다를 때로 나누어서 생각합니다.

02 다음 숫자 카드 중에서 2장을 골라 만들 수 있는 서로 다른 두 자리 수의 개수를 구하시오.

| 3 | 4 | 1 | 3 | 4 | 3 |

03 10개의 과일 중에서 8개의 과일을 골라서 먹으려고 하는데 사과는 먹지 않으려고 합니다. 과일을 고르는 방법은 모두 몇 가지가 있는지 구하시오.

사과를 제외한 9개의 과일에서 8개의 과일을 골라야 합니다.

TOP of TOP

04 빈칸에 가와 나를 한 칸에 한 글자씩 넣으려고 합니다. 넣는 방법은 몇 가지가 있는지 구하시오.

가, 나 순서로 칸에 넣는 것과 나, 가 순서로 칸에 넣는 방법을 각각 생각합니다.

접
는
선

사고력 수학

3. 조건에 맞게 직접 해 보기

생각열기

동영상
개구리의 이동 순서

탐구주제

1. 숫자 위치 찾기

    1-1. 숫자 위치 찾기 / 가장 적게 이동한 칸의 개수

    1-2. 도둑을 잡아라! / 규칙에 맞게 이동하기

    1-3. 점이 이동하는 곳 / 규칙에 맞게 직접 해 보기

2. 조건에 맞게 그리기

    2-1. 자를 가장 적게 사용해서 그리기 / 직접 그리기 1

    동영상
    2-2. 연필 떼지 않고 한 번에 그리기 / 직접 그리기 2

    동영상
3. 자르고 남는 수

    3-1. 네모 모양 접기 / 규칙에 맞게 접기

TOP 사고력

생각열기

개구리의 이동 순서

개구리의
이동 순서

개구리는 한 번에 1칸에서 5칸까지 뛸 수 있습니다. 가장 적게 뛰어 마지막 25번까지 가려면 몇 번을 뛰어야 하는지 알아보려고 합니다.

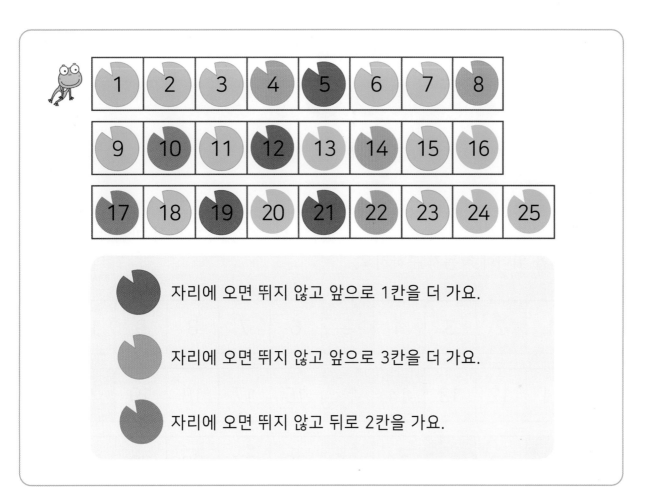

개구리가 첫 번째로 뛰어서 도착할 수 있는 가장 큰 수를 구하시오.

개구리가 두 번째로 뛰어서 도착할 수 있는 가장 큰 수를 구하시오.

개구리는 몇 번을 뛰면 마지막 25번 칸까지 갈 수 있습니까?

개구리가 5칸을 모두 뛰는 것과 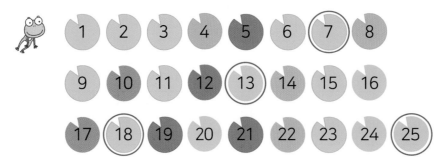 자리에 간 다음 뛰지 않고 더 이동하는 것 중 어느 방법이 더 멀리 가는지 직접 움직여 보면서 따져야 해.

순서대로 4번을 뛰면 7, 13, 18를 거쳐 25까지 갈 수 있어.

 토끼는 한 번에 1칸부터 6칸까지 뛸 수 있습니다. 가장 적게 뛰어 마지막 30까지 가려면 몇 번을 뛰어야 하는지 구하시오.

1	2	3	4	5	6	7	8	9	10

11	12	13	14	15	16	17	18	19	20

21	22	23	24	25	26	27	28	29	30

■ 색 칸은 뛰지 않고 앞으로 1칸을 더 갑니다.

■ 색 칸은 뛰지 않고 앞으로 3칸을 더 갑니다.

■ 색 칸은 뛰지 않고 앞으로 5칸을 더 갑니다.

1 숫자 위치 찾기

탐구 유형 1-1   **숫자 위치 찾기**

초록색 칸은 깜이가 있는 칸에서 가장 적게 이동한 칸의 개수를 파란색 칸은 냥이가 있는 칸에서 가장 적게 이동한 칸의 개수를 써넣으시오.

가 : ☐   나 : ☐

다 : ☐   라 : ☐

• Point ▷ 가로로 몇 칸 세로로 몇 칸 움직였는지를 세어 봅니다.

연습

01 ☐ 안에 색칠된 칸에서 기호가 있는 칸까지 가장 적게 이동하는 칸의 개수를 쓰시오.

㉠ : ☐   ㉡ : ☐

㉢ : ☐   ㉣ : ☐

연습
02 칸 안의 수는 모두 같은 한 칸으로부터 가장 적게 이동한 칸의 개수를 나타냅니다. 이동한 한 칸에 색칠하시오.

4			3	
	2			
	3			4

연습
03 초록색 칸은 깜이가 있던 자리에서 가장 적게 이동한 칸의 개수를, 파란색 칸은 냥이가 있던 자리에서 가장 적게 이동한 칸의 개수를 나타냅니다. 깜이가 있던 자리에는 ○표를, 냥이가 있던 자리에는 △표를 하시오.

		3	
4	2		4
			2
	4		

파란색 점에 경찰이 빨간색 점에 도둑이 있습니다. 현재 위치에서 경찰과 도둑 모두 가로나 세로로 2칸씩 이동할 때, 도둑이 잡힐 수 있는 점의 기호를 모두 쓰시오.

반드시 도둑을 잡고 말겠어!

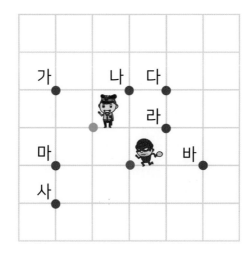

들키지 않고 멀리 도망쳐야 할 텐데…

• Point   각 점마다 도둑과 경찰이 움직여서 모두 갈 수 있는 점을 찾습니다.

(1) 경찰이 가로나 세로로 2칸을 이동하여 갈 수 있는 점의 기호를 모두 쓰시오.

(2) 경찰과 도둑 모두 가로나 세로로 2칸씩 이동할 때, 도둑이 잡힐 수 있는 점의 기호를 모두 쓰시오.

01 ㉠과 ㉡ 점에서 선을 따라 각각 2칸씩 이동할 때, 만날 수 있는 점에 모두 ○표 하시오.

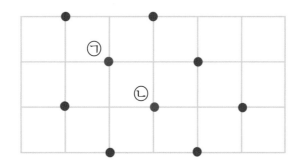

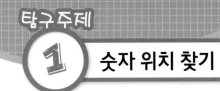

연습 02 가와 나 점에서 선을 따라 각각 3칸씩 이동할 때, 만날 수 없는 한 점에 〇표 하시오. 단, 갔던 길을 다시 갈 수 없습니다.

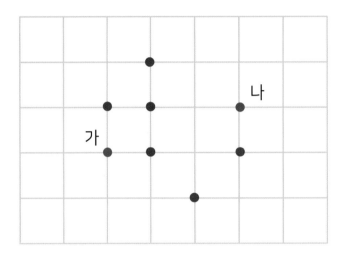

연습 03 ㉠과 ㉡ 점에서 선을 따라 각각 3칸씩 이동할 때, 어느 곳에서도 만나지 못하는 것의 번호를 쓰시오. 단, 갔던 길을 다시 갈 수 없습니다.

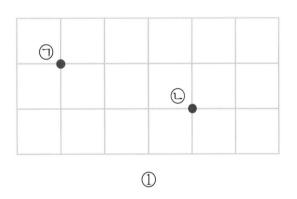

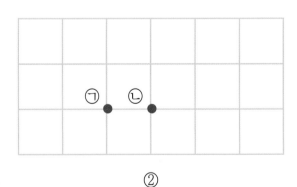

①   ②

시작점에서 점과 점 사이를 두 번 이동해서 갈 수 있는 점은 모두 몇 개인지 구하시오. 단, 갔던 길을 다시 갈 수 없습니다.

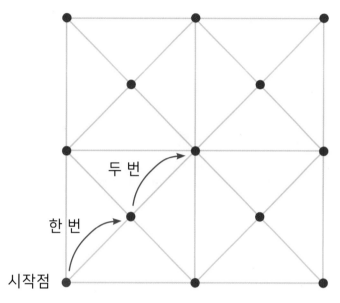

• Point　갈 수 있는 점을 조건에 맞게 직접 모두 그려 봅니다.

01 시작점에서 점과 점 사이를 세 번 이동해서 갈 수 있는 점은 모두 몇 개인지 구하시오. 단, 갔던 길은 다시 갈 수 없습니다.

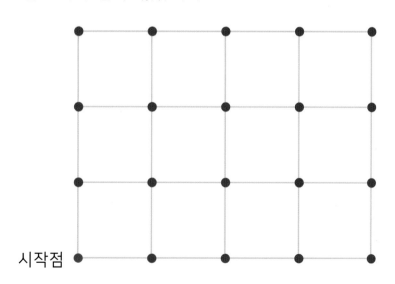

연습 **02** 시작점에서 점과 점 사이를 세 번 움직이면 갈 수 있는 점에 모두 ○표 하시오. 단, 시작점을 포함하여 지나간 점은 다시 갈 수 없습니다.

시작점

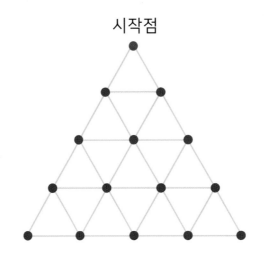

연습 **03** 시작점에서 점과 점 사이를 같은 횟수로 움직인 점에 ○표한 것인데 두 점을 더 찾아야 합니다. 나머지 두 점을 찾아 ○표 하시오. 단, 갔던 길은 다시 갈 수 없습니다.

시작점

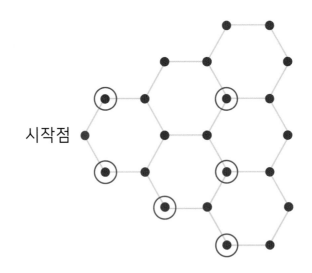

보기 처럼 자를 사용하여 모양을 그릴 때, 그리는 방법에 따라 자를 사용하는 횟수가 다를 수 있습니다. □ 안에 모양을 그리는데 자를 가장 적게 사용하면 몇 번 대고 그릴 수 있는지 쓰시오.

보기

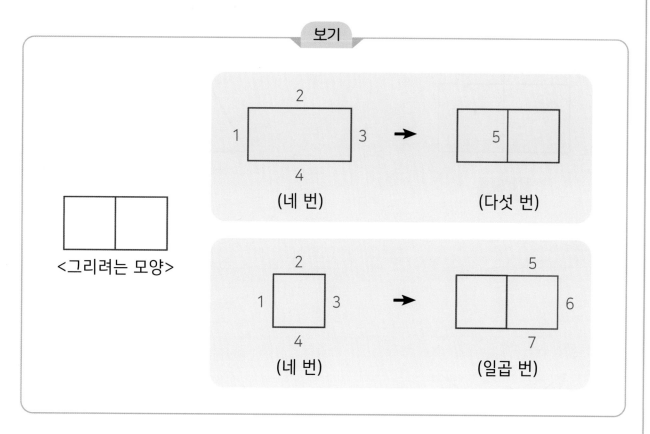

<그리려는 모양>

(네 번)   (다섯 번)

(네 번)   (일곱 번)

• Point ▶ 선을 따라 직접 그려 봅니다.

(1)

(2)

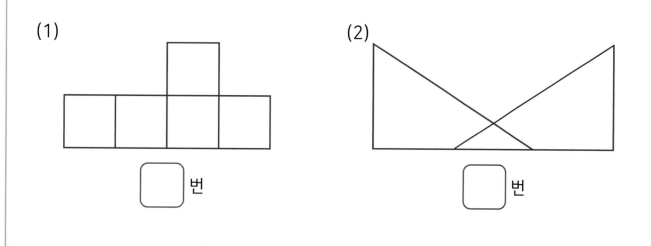

번   번

연습

01 모양마다 가장 적게 자를 대어 그릴 수 있는 횟수를 써 놓았습니다. 주어진 횟수만큼 직접 그려 보시오.

(1)

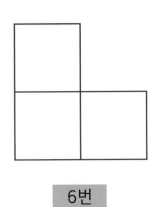

6번

(2)

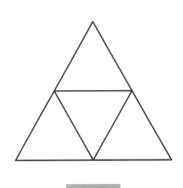

6번

(3)

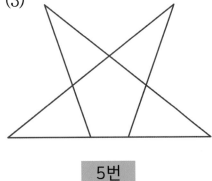

5번

(4)

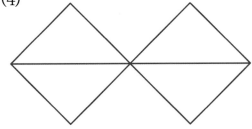

7번

탐구 유형 2-2   **연필 떼지 않고 한 번에 그리기**

보기 와 같이 연필을 한 번도 떼지 않고 그릴 수 있는 그림이 있습니다. 아래 3개의 그림 중 보기 와 같이 한 번에 그릴 수 있는 그림에 모두 ○표 하시오. 단, 한 번 그은 선은 다시 그리지 않습니다.

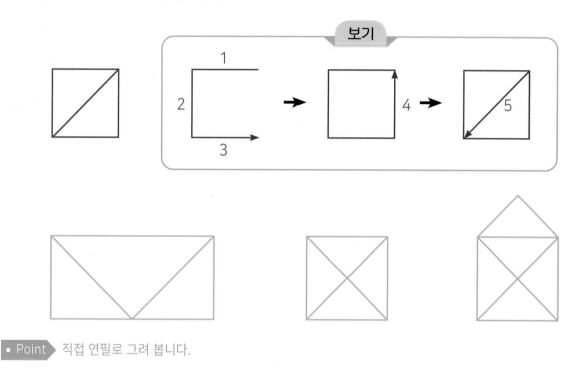

• Point ▶ 직접 연필로 그려 봅니다.

연습

01 연필을 한 번도 떼지 않고 그릴 수 있는 모양에 모두 ○표 하시오.

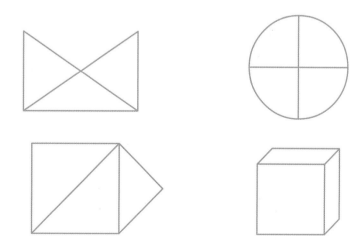

연습 02 연필을 한 번도 떼지 않고 그릴 수 있는 것만 모아놓은 것의 기호를 쓰시오.

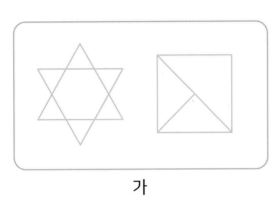

가

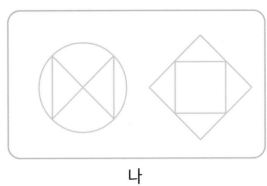

나

연습 03 연필을 한 번도 떼지 않고 그릴 수 없는 모양은 몇 개인지 구하시오.

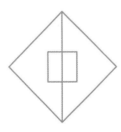
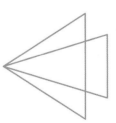

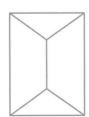
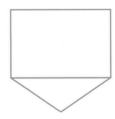

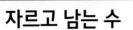 

3 자르고 남는 수

1부터 8까지 쓰여 있는 테이프가 있습니다. 테이프를 자르는 규칙의 순서대로 한 칸이 남을 때까지 잘라나갈 때, 마지막 칸에 남은 수는 무엇일지 알아보려고 합니다.

1	2	3	4	5	6	7	8

자르는 규칙

① 테이프의 절반을 잘라 오른쪽은 버립니다.

② 테이프의 절반을 잘라 왼쪽은 버립니다.

③ 테이프의 절반을 잘라 오른쪽은 버립니다.

①, ②, ③의 과정을 거칠 때마다 칸에 남게 되는 수를 쓰시오.

1	2	3	4

➡

➡

과정 ①을
거치고 남는 수

과정 ②를
거치고 남는 수

과정 ③을
거치고 남는 수

같은 테이프에서 자르는 규칙의 순서를 바꿔서 자르면 남게 되는 수를 구해보시오.

(1) ② → ① → ③의 순서

➡ 남는수: ⬚

(2) ① → ③ → ②의 순서

➡ 남는 수 : ⬚

③ 자르고 남는 수

1부터 16까지 쓰여 있는 테이프가 있습니다. 이 테이프를 아래의 순서로 잘라 나갈 때, 마지막 한 칸에 남는 수를 구하시오.

자르는 규칙

① 테이프의 절반을 잘라 왼쪽은 버립니다.

② 테이프의 절반을 잘라 오른쪽은 버립니다.

③ 테이프의 절반을 잘라 오른쪽은 버립니다.

④ 테이프의 절반을 잘라 왼쪽을 버립니다.

가운데 ⋯ 은 종이가 길어서 생략한 부분을 나타내.

1	2	3	⋯	14	15	16

빈칸에 과정에 따라 자른 후 남는 수를 써넣으시오.

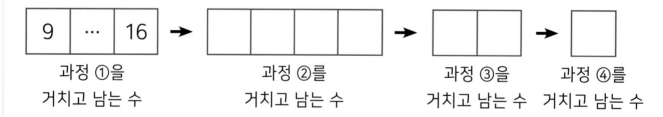

9	⋯	16

과정 ①을
거치고 남는 수

과정 ②를
거치고 남는 수

과정 ③을
거치고 남는 수

과정 ④를
거치고 남는 수

자르는 규칙의 순서를 바꿔서 마지막에 남는 수가 7이 되도록 하려고 합니다. □ 안에 자르는 규칙의 순서의 번호를 순서대로 써넣으시오. 단, ①부터 ④의 규칙을 한 번씩 사용합니다.

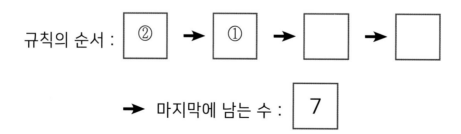

규칙의 순서 : ② → ① → □ → □

→ 마지막에 남는 수 : 7

네모 모양 접기

앞면과 뒷면의 같은 위치에 같은 수가 쓰여 있는 네모 모양의 종이가 있습니다. 이 종이를 규칙의 순서대로 접었을 때, 윗면에 써있는 수를 구하시오.

1	2
3	4

접는 규칙

① 가로로 절반을 접어 위로 올립니다.

② 세로로 절반을 접어 왼쪽으로 접습니다.

● Point 직접 접어 보거나 순서대로 어떤 수가 남는지 생각해 봅니다.

(1) 빈칸에 ①의 과정을 거치고 난 후 윗면에 남는 두 수를 쓰시오.

(2) 빈칸에 ①과 ②의 과정을 거치고 난 후 윗면에 남는 수를 쓰시오.

연습

01 앞면과 뒷면의 같은 위치에 같은 수가 쓰여 있는 종이가 있습니다. 이 종이를 접는 규칙대로 접었을 때, 윗면에 써있는 수를 구하시오.

1	2
3	4

접는 규칙

① 가로로 절반을 접어 아래로 내립니다.

② 세로로 절반을 접어 오른쪽으로 접습니다.

㉠과 ㉡에 넣을 수 있는 가장 작은 수는 무엇일지 생각해 봅니다.

01 □ 안에 서로 다른 한 자리 수를 넣어 화살표 방향으로 수가 점점 커지도록 하려고 합니다. 이때, 색칠된 칸에 넣을 수 있는 수는 몇 개인지 구하시오.

2번을 이동하면 빨간색 칸을 모두 갈 수 있습니다.

02 ◯에서 이웃한 ◯로 가장 적게 몇 번을 이동하면 색칠된 칸을 제외한 모든 ◯를 갈 수 있는지 구하시오. 단, 갔던 길은 다시 갈 수 없습니다.

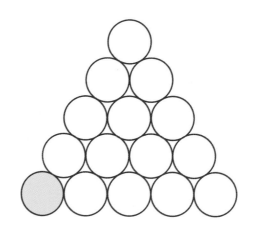

03 다음과 같이 아래 두 □ 안의 수가 1이나 2로 같으면 위에는 1을, 아래 두 □ 안의 수가 1과 2로 다르면 위에는 2를 써 놓았습니다. 이때, ■ 안에 알맞은 수를 구하시오.

가장 아래칸부터 순서대로 구해 나갑니다.

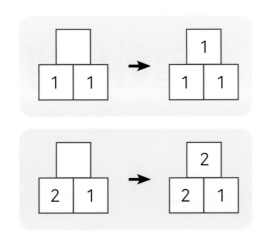

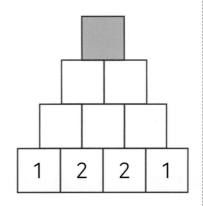

TOP of TOP

04 테이프를 3번 자르고 난 후 만들 수 있는 가장 큰 두 자리 수가 되도록 □에 자르는 규칙의 순서를 쓰시오.

가장 큰 두 자리 수가 어디에 위치에 있는지를 먼저 알아봅니다.

자르는 규칙

① 테이프를 절반으로 잘라 왼쪽은 버립니다.

② 테이프를 절반으로 잘라 오른쪽은 버립니다.

| 2 | 7 | 9 | 1 | 3 | 8 | 6 | 4 | 1 | 7 | 3 | 4 | 9 | 6 | 8 | 3 |

자르는 순서 : □ — □ — □

접는 선

TOP 사고력 수학

4. 문제를 해결하는 방법

생각열기

동영상

동물과 다리의 개수

탐구주제

1. 문제를 해결하는 다양한 방법

1-1. 나무 심기 / 여러 가지 문제해결 방법 1

1-2. 깜이가 해결한 퍼즐 / 여러 가지 문제해결 방법 2

2. 그림 그려 해결하기

2-1. 차가 서 있는 순서 / 수직선 그려 해결하기

2-2. 칸 뛰어세기 / 칸에 색칠하면서 해결하기

2-3. 군고구마의 개수 / 그림 그려 해결하기

TOP 사고력

동물과 다리의 개수

동물과
다리의개수

동물과 다리의 개수 문제를 그림을 그려서 해결해 보려고 합니다.

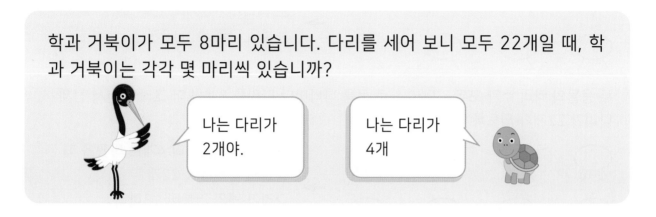

학과 거북이가 모두 8마리 있습니다. 다리를 세어 보니 모두 22개일 때, 학과 거북이는 각각 몇 마리씩 있습니까?

나는 다리가 2개야.

나는 다리가 4개

몸통 8개에 다리를 2개씩 그려 보시오. 동물 8마리의 다리가 모두 2개씩이라면 다리는 모두 몇 개입니까?

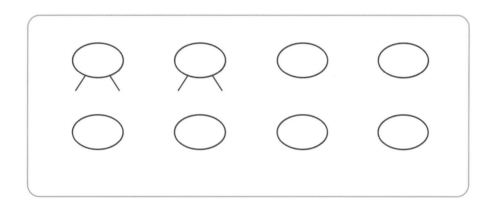

다리가 모두 22개가 되도록 몸통에 다리를 2개씩 더 그려 보시오. 몇 마리에 다리를 2개씩 더 그려야 합니까?

□ 안에 학과 거북이가 몇 마리씩 있는지 써넣으시오.

학 : ☐ 마리

거북이 : ☐ 마리

두 동물이 모두 몇 마리인지와 전체 다리의 개수를 아는 문제는 직접 그림을 그리면서 해결할 수 있어.

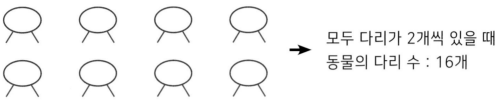

→ 모두 다리가 2개씩 있을 때
동물의 다리 수 : 16개

두 동물의 다리 수가 모두 22개이므로 몸통 하나마다 다리를 2개씩 더 그려 가면서 전체 다리가 22개가 되도록 만들어야 해.

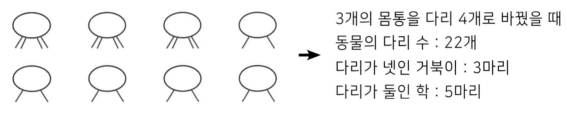

→ 3개의 몸통을 다리 4개로 바꿨을 때
동물의 다리 수 : 22개
다리가 넷인 거북이 : 3마리
다리가 둘인 학 : 5마리

전체 몸통에 다리를 4개씩 그린 다음 다리를 2개씩 줄여나가도 같은 결과가 나와. 두 가지 방법 중에 편한 방법을 선택하면 돼.

🌱 타조와 코끼리가 모두 7마리가 있는데 다리를 모두 세어 보니 20개입니다. □ 안에 타조와 코끼리는 각각 몇 마리씩 있는지 쓰시오.

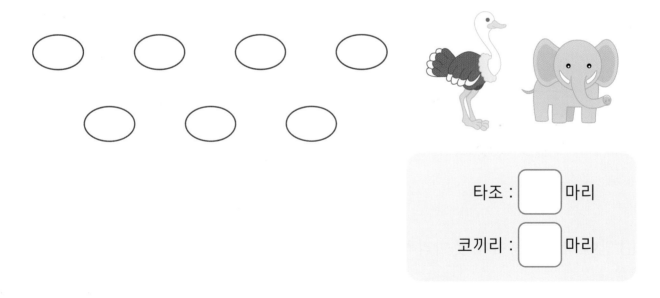

타조 : [ ] 마리

코끼리 : [ ] 마리

동물의 수와 다리 문제를 그림을 그려 해결하는 방법 외에도 표를 그려 해결하거나 직접 해보기, 한 쪽으로 가정하여 해결하기 등 다양한 해결 방법이 있습니다.

① 표 그려 해결하기

닭과 강아지가 모두 5마리가 있는데 다리를 모두 세어 보니 18개입니다. 닭과 강아지는 각각 몇 마리 입니까?

닭과 강아지의 수에 따라 전체 다리 수를 계산하여 표를 완성해 보시오.

닭의 수	5	4	3	2	1	0
강아지의 수	0	1	2	3	4	5
전체 다리 수	10	12				

닭이 한 마리씩 줄고 강아지가 한 마리씩 늘어날 때마다 전체 다리 수는 얼마씩 늘어납니까?

닭과 강아지가 각각 몇 마리인지 써넣으시오.

닭 : ☐ 마리

강아지 : ☐ 마리

닭의수	0	1	2	3	4	5
강아지의수	5	4	3	2	1	0
전체 다리 수	20	18	16	14	12	10

왼쪽 표와 같이 강아지 5 마리, 닭 0마리부터 구해서 찾을 수도 있어. 두 가지 방법 중 편한 방법으로 표를 만들면 돼.

문제를 해결하는 다양한 방법

② 한 쪽으로 가정하여 해결하기

두발자전거와 세발자전거가 모두 8대 있는데 바퀴의 수를 세어 보니 모두 19개입니다. 세 발 자전거는 몇 대입니까?

8대가 모두 두발자전거라고 가정해 보시오. 바퀴는 모두 몇 개입니까?

두발자전거를 세발자전거로 하나씩 바꿀 때마다 바퀴의 수는 몇 개씩 늘어납니까?

□ 안에 두발자전거와 세발자전거의 수를 써넣으시오.

두발자전거 : □ 대

세발자전거 : □ 대

💡 주머니 7개에 사탕이 2개 또는 3개씩 들어 있습니다. 모든 사탕의 개수가 20개일 때, 사탕 2개가 들어 있는 주머니는 몇 개입니까?

한쪽으로 가정하여 해결하기는 모두 개수가 적은 쪽으로 개수의 합을 구한 다음 차이가 나는 개수를 늘려가면 돼.

탐구 유형 1-1   **나무 심기**

6명이 각자 2그루 아니면 3그루의 나무를 심으려고 합니다. 이때, 심은 나무가 모두 14그루일 때, 3그루의 나무를 심은 사람은 몇 명인지 구하시오.

> • Point ▶ : 6명 모두 2그루씩 나무를 심었다고 할 때, 남는 나무의 개수를 세어봅니다.

(1) 6명 모두가 2그루씩 나무를 심었다고 생각하고 나무를 2개씩 6번 ○로 묶어보시오. 남은 나무는 몇 그루입니까?

(2) 남은 나무를 한 명이 1그루씩 더 심었다고 할 때, 나무 3그루를 심는 사람은 몇 명인지 구하시오.

연습

01 5명이 각자 3개 아니면 4개씩 초콜릿을 먹었더니 모두 18개의 초콜릿을 먹었습니다. 초콜릿을 4개씩 먹은 사람은 몇 명인지 구하시오.

연습

02 깜이가 14칸의 계단을 1칸 아니면 3칸씩 계단을 뛰어올라갔는데 모두 8번 뛰어 올라갔습니다. 3칸씩 계단을 올라간 것은 몇 번인지 구하시오.

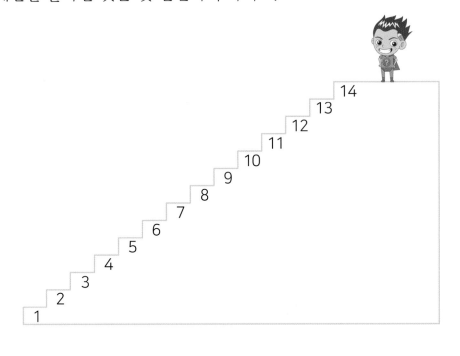

연습

03 냥이네 가족은 달걀 20개를 하루에 2개 아니면 4개씩 먹어 8일간 모두 먹으려고 합니다. 하루에 달걀을 2개씩 먹는 날은 며칠인지 구하시오.

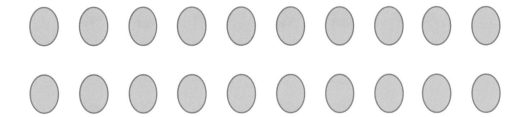

탐구 유형 1-2   깜이가 해결한 퍼즐

깜이는 10개의 퍼즐에 도전하여 모두 16점을 얻었습니다. 깜이가 해결한 퍼즐은 몇 개인지 구하시오.

> 하나의 퍼즐을 해결하면 2점을 얻습니다.
>
> 퍼즐을 해결하지 못해도 1점을 얻습니다.

• Point ▷ 퍼즐을 모두 해결했다고 하면 실제 점수보다 몇 점이 많아지는지 알아봅니다.

(1) 퍼즐을 모두 해결한다면 몇 점이 됩니까?

(2) 퍼즐을 하나 해결하지 못할 때마다 몇 점의 점수가 줄어듭니까?

(3) 깜이가 해결하지 못한 퍼즐의 개수를 구해서 깜이가 해결한 퍼즐의 개수를 구하시오.

> 처음에 모든 퍼즐을 해결하지 못했다고 생각해도 돼.
> 이때는 늘어난 점수로 해결한 퍼즐의 개수를 알 수 있어.

연습

01 냥이는 맞으면 10점, 틀리면 5점을 얻는 과학 문제를 10문제 풀었습니다. 냥이가 얻은 점수가 90점일 때, 냥이가 맞은 문제의 개수를 구하시오.

연습

02 다음과 같이 맞추면 5점과 3점을 얻는 과녁판이 있습니다. 화살 5발을 쏘았더니 21점이 되었을 때, 3점에 맞은 화살은 몇 개인지 구하시오. 단, 빗나간 화살은 없습니다.

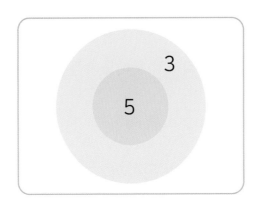

연습

03 14명의 사람들이 6대의 택시에 2명 아니면 3명씩 나누어 타려고 합니다. 2명이 타는 택시는 몇 대인지 구하시오. 단, 운전하는 사람은 제외합니다.

깜이, 냥이, 주영, 송연이가 각자 서로 다른 개수의 구슬을 가지고 있습니다. 조건을 보고 구슬을 많이 가지고 있는 순서를 알아보려고 합니다.

- 냥이는 깜이보다 구슬 5개가 많습니다.

- 송연이는 냥이보다 구슬 3개가 적고 주영이보다 구슬 4개가 많습니다.

그림을 그려서 깜이와 냥이의 구슬 개수의 관계를 나타내었습니다. □ 안에 알맞은 수를 써넣으시오.

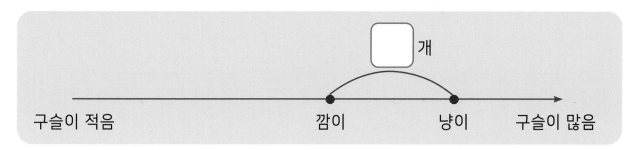

나머지 구슬 개수의 관계를 나타내었습니다. □ 안에 알맞은 이름을 써넣으시오.

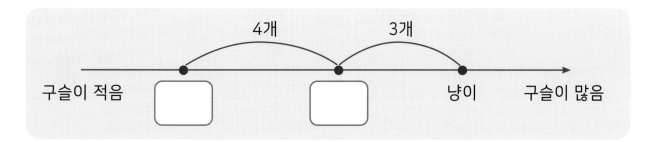

구슬의 개수가 적은 사람의 순서대로 이름을 쓰시오.

깜이의 위치는 어디가 될지 생각해 봐.

네 사람이 구슬을 다시 나누어 가졌습니다. 깜이가 가진 구슬이 12개일 때, 냥이가 가진 구슬의 개수를 구하려고 합니다.

> • 송연이는 주영이보다 구슬 4개가 많고 깜이보다 구슬 2개가 적습니다.
>
> • 주영이는 냥이보다 구슬이 2개 적습니다.

송연이와 주영이 깜이의 구슬 개수의 관계를 그림으로 나타내었습니다. □ 안에 송연이와 주영이의 구슬의 개수를 써넣으시오.

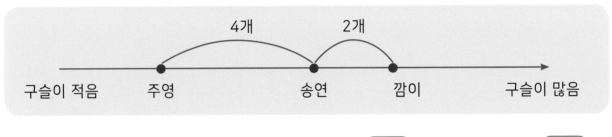

송연 : ☐ 개   주영 : ☐ 개

냥이의 구슬 개수의 관계까지 나타내었습니다. □ 안에 냥이의 구슬의 개수를 써넣으시오.

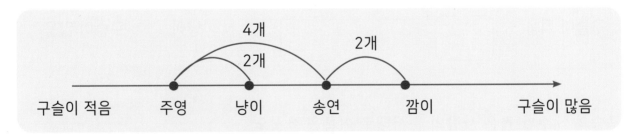

 냥이 : ☐ 개

여러 개의 개수를 비교하는 문제는 그림을 그리면서 관계를 따져 보면 보다 쉽게 해결할 수 있어.

차가 서 있는 순서

냥이는 차가 막혀 옆 줄의 차 4대가 서있는 순서를 설명하고 있습니다. 냥이네 차보다 뒤에서 오고 있는 차에 모두 ○표 하시오.

- 초록색 차는 노란색 차 바로 뒤에 있습니다.
- 보라색 차는 노란색 차 바로 앞에 있습니다.
- 빨간색 차는 초록색 차 바로 뒤에 있습니다.
- 우리 차 바로 옆에 보라색 차가 있습니다.

• Point ▷ 수직선을 그려 차의 위치 관계를 그리면서 생각해 봅니다.

(1) 네 차의 위치를 찾아 빈칸에 알맞은 번호를 쓰시오.

(2) 냥이네 차보다 뒤에서 오고 있는 차의 번호를 모두 쓰시오.

연습

01 가, 나, 다, 라 네 사람이 각기 다른 수의 사탕을 가지고 있습니다. 사탕이 많은 사람의 순서대로 기호를 쓰시오.

- 가보다 나가 사탕이 더 많습니다.
- 라는 나보다 사탕을 많이 가지고 있습니다.
- 다는 나보다는 적고 가보다는 많은 사탕을 가지고 있습니다.

탐구 유형 2-2　　**칸 뛰어세기**

깜이는 오른쪽으로 7칸을 뛰었고 냥이는 왼쪽으로 몇 칸을 뛰었다가 다시 오른쪽으로 2칸을 뛰었더니 깜이와 같은 칸에서 만났습니다. 처음 냥이가 왼쪽으로 몇 칸 뛰었는지 구하시오.

깜이												냥이

• Point　칸의 위치에 깜이와 냥이의 위치를 색칠하면서 알아봅니다.

(1) 깜이가 오른쪽으로 7칸 뛴 위치를 색칠해 보시오.

(2) 냥이가 오른쪽으로 2칸을 뛰기 전 칸을 색칠한 다음 냥이는 처음 왼쪽으로 몇 칸을 뛰었는지 구하시오.

연습

01 깜이는 오른쪽으로 3칸을 뛰었고 냥이는 왼쪽으로 2칸을 뛴 다음 깜이 쪽으로 몇 칸을 뛰었더니 두 사람 사이에 빈칸이 하나 있습니다. 냥이가 깜이 쪽으로 몇 칸을 뛰었는지 구하시오.

			냥이	깜이				

연습 02 깜이, 냥이, 송연이, 주영이가 구슬을 나누어 가졌습니다. 냥이가 가진 구슬이 8개일 때, 주영이가 가진 구슬의 개수를 구하시오.

- 깜이는 냥이보다 구슬 4개를 더 가지고 있습니다.

- 송연이는 깜이보다 구슬 2개를 더 가지고 있습니다.

- 주영이는 송연이보다 구슬 4개를 적게 가지고 있습니다.

연습 03 한 줄로 된 칸 안에 깜이, 냥이, 송연이가 각자 한 칸씩 들어가 있습니다. 냥이는 가장 왼쪽 칸으로부터 오른쪽으로 몇 칸 뛰어야 하는지 구하시오.

- 송연이가 있는 칸에서 왼쪽으로 3칸 뛰면 깜이가 있습니다.

- 깜이는 가장 왼쪽 칸으로부터 오른쪽으로 3칸을 뛰어야 합니다.

- 냥이는 송연이의 오른쪽 옆 칸에 있습니다.

2 그림 그려 해결하기

탐구 유형 2-3 　군고구마의 개수

냥이네 집에 군고구마가 있었는데 처음에 아버지가 절반을 드시고 냥이가 3개를 먹었습니다. 남은 군고구마가 2개일 때, 처음에 몇 개의 군고구마가 있었는지 구하시오.

• Point ▶ 그림을 그려 보면 남은 고구마와 냥이가 먹은 고구마는 전체의 절반과 같습니다.

(1) 군고구마의 개수를 그림으로 나타냈습니다. 전체 군고구마의 절반은 몇 개입니까?

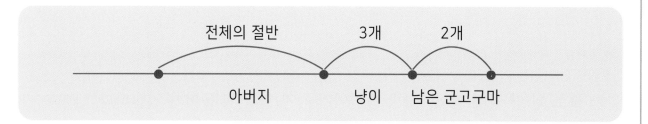

(2) 처음에 있던 군고구마는 몇 개인지 구하시오.

연습

01 깜이가 전체 사탕의 절반을 먹은 다음, 냥이가 남은 사탕의 절반을 먹었습니다. 마지막으로 송연이가 남은 4개의 사탕을 모두 먹었을 때, 처음에 있던 사탕은 몇 개인지 구하시오.

연습 02 냉장고에 있던 방울토마토의 절반을 먹고 오후에 다시 6개를 더 먹었더니 4개가 남았습니다. 처음 냉장고에 있던 방울토마토의 개수를 구하시오.

연습 03 리본을 절반씩 2번 잘랐더니 남은 길이가 3이었습니다. 처음 리본의 길이를 구하시오.

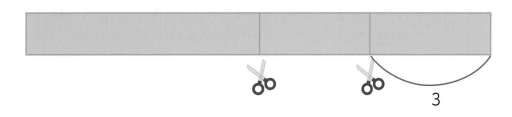

3점과 0점을 제외하고 1점과 5점은 모두 6발을 쏘았습니다.

01 화살 9발을 쏘았는데 모두 16점을 얻었습니다. 표의 빈칸을 알맞게 채우시오.

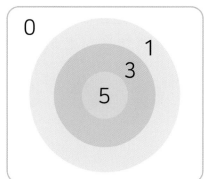

점수	0점	1점	3점	5점
개수	1		2	

어떤 수의 두 배, 두 배의 두 배인 세 수의 관계에서 합이 7이 되는 경우를 찾습니다.

02 빨간색, 파란색, 노란색 클립이 모두 합쳐 7개 있습니다. 파란색 클립의 개수는 빨간색 클립 개수의 두 배, 노란색 클립의 개수는 파란색 클립 개수의 두 배입니다. 이때, 파란색 클립의 개수를 구하시오.

접는 선

03 어느 양 목장에서 양치기가 잠깐 한 눈 파는 사이에 양 11마리가 울타리를 나갔습니다. 남은 양은 원래의 절반보다 14마리가 더 많다고 합니다. 남아 있는 양은 몇 마리인지 구하시오.

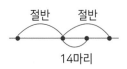

남아 있는 양의 수를 그림을 그려서 생각합니다.

TOP of TOP

04 토끼, 거북이, 고양이가 가진 사탕의 개수를 비교한 것을 보고 거북이가 가진 사탕의 개수를 구하시오.

- 토끼는 고양이보다 사탕 7개를 더 가지고 있습니다.

- 고양이와 거북이가 가진 사탕 개수의 합은 전체의 절반인 10개입니다.

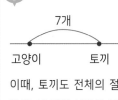

이때, 토끼도 전체의 절반인 10개의 사탕을 가지고 있습니다.

TOP
사고력 쑥쑥

학습주제를 시작할 때 학습 날짜를 기록하면서 전체 학습 진도 상황을 체크해 보세요.

A6	단원	학습 주제	학습 날짜	
확률과 통계	1. 기준과 분류	1-1. 분류와 정리 방법	월/	일
		1-2. 표로 나타낸 자료	월/	일
	2. 다양한 방법의 수	2-1. 고르는 방법의 수	월/	일
		2-2. 조건에 맞게 선 잇기	월/	일
		2-3. 개수대로 묶는 방법의 수	월/	일
문제해결	3. 조건에 맞게 직접 해보기	3-1. 숫자 위치 찾기	월/	일
		3-2. 조건에 맞게 그리기	월/	일
		3-3. 자르고 남는 수	월/	일
	4. 문제를 해결 하는 방법	4-1. 문제를 해결하는 다양한 방법	월/	일
		4-2. 그림 그려 해결하기	월/	일

1-1. 분류와 정리 방법 │ 01~08

01 여러 가지 문자 카드를 종류에 따라 2가지로 분류하였습니다. □ 안에 카드가 들어가야 하는 곳의 기호를 쓰시오.

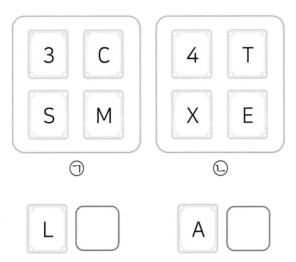

02 여러 가지 모양을 2가지로 분류하였습니다. □ 안에 알맞은 번호를 쓰시오.

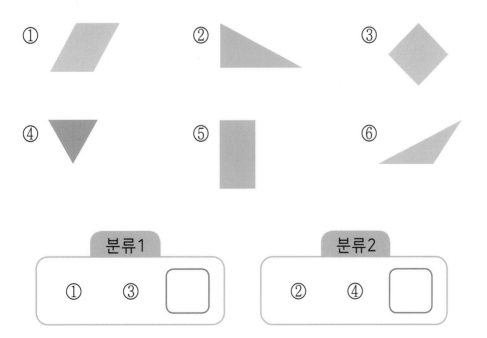

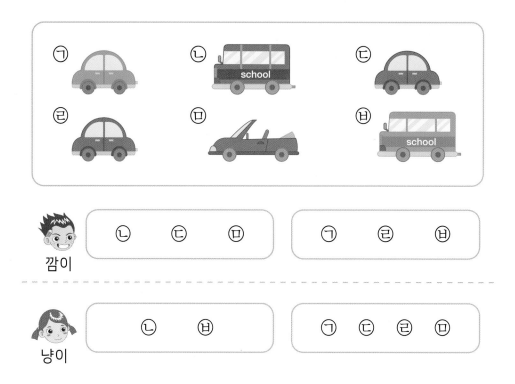

유형 1-1
자동차의 색깔로 분류하
면 3가지로 분류할 수 있
습니다.

03 여러 가지 차를 깜이와 냥이가 각각 2가지로 분류하였습니다. 올바르게 분류한 사람의 얼굴에 ○표 하시오.

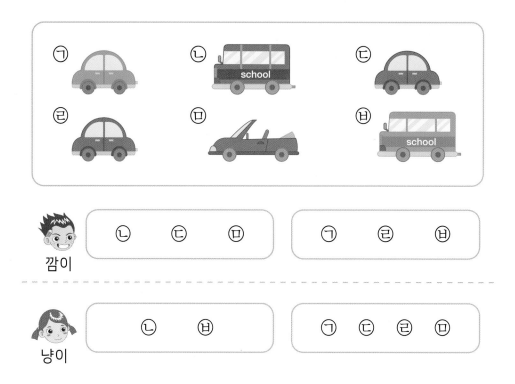

유형 1-1
책의 색깔은 2가지, 책의
종류는 3가지로 분류할
수 있습니다.

04 책을 3가지로 분류하려고 합니다. 나머지 알맞은 책의 번호를 넣어 분류를 완성하시오.

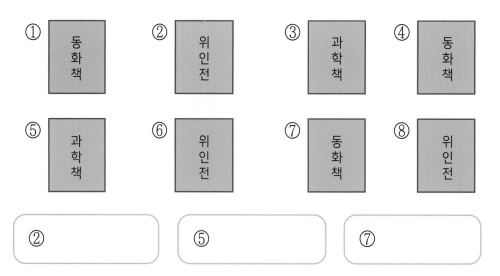

접
는
선

05 곤충들을 2가지로 분류하였습니다. 알맞은 분류 기준의 기호를 쓰시오.

> 가. 다리가 있는 곤충과 없는 곤충
>
> 나. 날 수 있는 곤충과 날 수 없는 곤충
>
> 다. 곤충의 색깔

⚠ 유형 1-2
잠자리, 나비, 벌은 모두 날개가 있고 애벌레, 개미는 모두 날개가 없습니다.

06 여러 가지 막대 사탕을 3가지로 분류하려고 합니다. 분류 기준이 될 수 있는 것에 ○표 하시오.

분류 기준
사탕의 모양　　　　사탕의 색깔

⚠ 유형 1-2
사탕의 모양과 색깔 중 3가지로 분류할 수 있는 분류 기준을 찾습니다.

접는 선

TOP 사고력 쑥쑥 **83**

접
는

선

! 유형 1-2

각각 분류해서 몇 개씩
모둠으로 분류할 수 있는
지 세어 봅니다.

07 7개의 탈것을 각각 2개, 2개, 3개가 되는 3가지로 나누려고 합니다. 나눌 수 있는 분류 기준에 ○표 하시오.

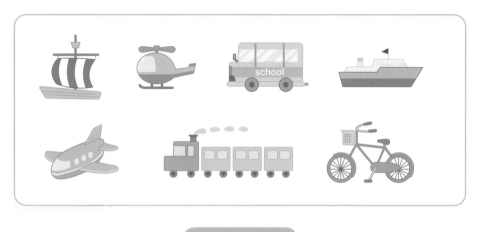

분류 기준

다니는 곳   색깔

! 유형 1-2

뱀과 물고기는 다리가 없
습니다.

08 동물들을 3가지로 분류하였습니다. 알맞은 분류 기준을 찾아 ○표 하시오.

뱀 물고기	사자 거북 기린 코끼리	학 오리 닭

분류 기준

동물의 다리 개수   동물이 사는 곳

09 다음 분류 기준에 따라 색깔을 나타내는 단어들을 3가지로 분류하여 개수를 표로 나타내었습니다. 표의 빈칸을 모두 채우시오.

! 유형 2-1
단어의 뜻이 아닌 글자의 색을 세어야 합니다.

분류 기준

파란색 - 파란색이란 뜻이지만 글자의 색깔은 노란색이므로 노란색으로 분류합니다.

파란색	노란색	빨간색	파란색
노란색	빨간색	파란색	빨간색

글자의 색깔	파란색	빨간색	노란색
개수(개)			

<단어의 색깔>

10 어느 문구점에서 하루 동안 팔린 지우개의 모양을 나타낸 것입니다. 가장 많이 팔린 모양은 가장 적게 팔린 모양보다 몇 개를 더 팔았는지 구하시오.

! 유형 2-1
세워져 있는 지우개의 모양에 유의해서 개수를 셉니다.

지우개의 모양	●	▭	⬭
개수(개)			

<지우개 모양의 개수>

유형 2-2

가와 나 과일가게에서 판 과일의 종류가 하나씩 다릅니다.

11 다음은 두 군데의 과일가게에서 팔린 과일의 개수를 나타낸 표입니다. 깜이와 냥이 중 올바른 말을 한 사람의 얼굴에 ○표 하시오.

과일		🍌	🍉
개수 (개)	11	7	3

<가 과일가게>

과일	🍌	🍉	🍎
개수 (개)	9	5	8

<나 과일가게>

가 과일가게가 나 과일가게보다 사과를 3개 더 팔았어.

바나나는 나 과일가게가 2개 더 팔았네.

유형 2-2

조사한 전체 학생 수는 각 동물을 좋아하는 학생 수를 모두 더해야 합니다.

12 다음은 학생들이 좋아하는 애완동물을 조사해서 표로 나타낸 것입니다. 아래의 설명에서 틀린 말은 모두 몇 개인지 구하시오.

동물	강아지	고양이	앵무새
학생 수 (명)	9	6	1

<학생들이 좋아하는 애완동물>

- 강아지를 좋아하는 학생이 가장 많습니다.

- 고양이를 좋아하는 학생은 앵무새를 좋아하는 학생보다 1명 더 많습니다.

- 조사한 전체 학생 수는 15명입니다.

- 강아지를 좋아하는 학생은 조사한 학생의 절반이 넘습니다.

13 다음은 깜이의 친구들 12명이 가장 좋아하는 간식을 조사하여 표로 나타낸 것입니다. 피자를 좋아하는 학생은 떡볶이를 좋아하는 학생보다 몇 명 더 많은지 구하시오.

간식	튀김	김밥	떡볶이	피자
학생 수 (명)	2	1		6

<깜이 친구들이 좋아하는 간식>

유형 2-2
12명 중에서 떡볶이를 좋아하는 학생이 몇 명인지를 먼저 구합니다.

14 깜이네 반 학생 20명 중에 축구와 야구 중 좋아하는 스포츠를 조사한 표입니다. 야구를 좋아하는 학생은 남학생이 여학생보다 2명이 더 많을 때, 축구를 좋아하는 여학생의 수를 구하시오.

	⚽	⚾
여학생 수(명)		3
남학생 수(명)	7	

<깜이네 반 학생들이 좋아하는 스포츠>

유형 2-3
야구를 좋아하는 남학생의 수를 먼저 구합니다.

접는 선

유형 2-3

합계를 이용해서 검은색 짧은 우산과 노란색 긴 우산의 개수를 각각 구합니다.

15 비오는 날 교실 뒤에 있는 우산을 분류하여 하나의 표로 나타내었습니다. 표의 빈칸에 알맞은 수를 써넣으시오.

	검은색	노란색	합계
짧은 우산의 개수(개)		3	7
긴 우산의 개수(개)	8		
합계		8	

<교실 뒤에 있는 우산의 개수>

유형 2-3

방법1
장래 희망이 의사인 여학생의 수를 구한 다음 장래 희망이 과학자인 여학생의 수를 구합니다.

방법2
장래 희망이 연예인인 학생 수와 과학자인 학생 수를 차례로 구한 다음 장래 희망이 과학자인 여학생 수를 구합니다.

16 깜이네 반 학생들이 장래 희망을 정리한 표입니다. 이때, 과학자가 장래 희망인 여학생의 수를 구하시오.

	과학자	연예인	의사	합계
여학생 수(명)		7		9
남학생 수(명)	3	5	4	12
합계			5	21

<깜이네 반 학생들의 장래 희망>

접는 선

2. 다양한 방법의 수

2-1. 고르는 방법의 수 | 01~08

01 어느 분식점에 떡볶이는 3가지, 라면은 4가지, 튀김은 5가지 종류가 있습니다. 떡볶이, 라면, 튀김 중 하나를 고르는 방법은 몇 가지가 있는지 구하시오.

3가지   4가지   5가지

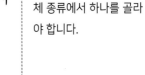
유형 1-1
떡볶이, 라면, 튀김의 전체 종류에서 하나를 골라야 합니다.

02 주사위 하나를 던졌을 때, 짝수가 나오는 방법은 몇 가지인지 구하시오.

유형 1-1
주사위를 던졌을 때, 나올 수 있는 눈은 1, 2, 3, 4, 5, 6의 6가지인데 이때, 짝수가 나오려면 2 또는 4 또는 6이 나와야 합니다.

접는 선

유형 1-1

깜이가 먼저 구슬을 고르
면 냥이는 남은 구슬에서
1개를 골라야 합니다.

03 깜이와 냥이가 서로 다른 색의 구슬 10개 중에 하나씩을 고르려고 합니다. 깜이가 먼저 하나를 고를 때, 깜이와 냥이가 구슬을 고르는 방법의 수를 쓰시오.

깜이가 구슬을 고르는 방법의 수 : ☐ 개

냥이가 구슬을 고르는 방법의 수 : ☐ 개

유형 1-1

위인전과 동화책이 모두
몇 권인지 구합니다.

04 냥이는 아래 추천도서 중 위인전과 동화책 중에서 1권을 고르려고 할 때, 냥이가 책을 고르는 방법은 몇 가지인지 구하시오.

추천도서

위인전 : 세종대왕, 이순신장군, 간디, 헬렌켈러, 에디슨

백과사전 : 동물의 세계, 자연의 신비, 지구와 우주

동화책 : 백설공주, 콩쥐 팥쥐, 이솝우화

접는선

05 깜이네 집에서 문구점을 거쳐 학교까지 가는 서로 다른 길은 모두 몇 개인지 구하시오.

⚠ 유형 1-2

방법1
깜이네 집에서 학교까지 가는 길을 모두 그려 봅니다.

방법2
깜이네 집에서 문구점까지 가는 길과 문구점에서 학교까지 가는 길을 각각 구한 다음 덧셈을 이용해서 구합니다.

06 숫자가 쓰여진 카드 5장이 있습니다. 짝수 카드 중 하나로 십의 자리 숫자를, 홀수 카드 중 하나로 일의 자리 숫자로 하는 두 자리 수를 만들려고 합니다. 만들 수 있는 두 자리 수는 모두 몇 개인지 구하시오.

| 4 | 8 | 6 | 3 | 5 |

⚠ 유형 1-2

십의 자리 숫자 하나를 정할 경우 만들 수 있는 두 자리 수는 각각 2개씩 있습니다.

접는 선

유형 1-2

방법1
과일을 하나 선택한 경우 채소를 고르는 방법을 덧셈식으로 나타냅니다.

방법2
채소를 하나 선택한 경우 과일을 고르는 방법을 덧셈식으로 나타냅니다.

07 깜이가 마트에서 과일과 채소를 각각 하나씩 사는 서로 다른 방법은 몇 가지인지 구하시오.

- 마트에서 파는 과일 :
- 마트에서 파는 채소 :

 유형 1-2

노란색 사탕을 넣을 수 있는 칸을 찾고 나머지 사탕 2개를 넣는 서로 다른 방법이 몇 가지인지 구합니다.

08 사탕 4개를 한 칸에 하나씩 넣으려고 합니다. 빨간색 사탕을 먼저 넣었을 때, 노란색 사탕이 빨간색 사탕과 이웃하지 않도록 넣는 방법은 몇 가지가 있는지 구하시오.

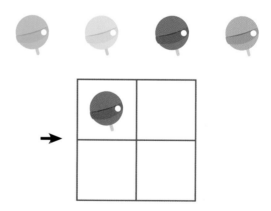

접는선

09 모자와 신발 중에서 각각 하나씩을 고르려고 합니다. 모자와 신발을 선으로 모두 이어서 서로 다르게 고르는 방법은 몇 가지가 있는지 구하시오.

유형 2-1
모자 하나마다 신발 3개씩을 모두 선으로 연결할 수 있습니다.

10 파란색 숫자 카드와 빨간색 숫자 카드를 한 장씩 뽑았을 때, 파란색 카드의 숫자가 빨간색 카드의 숫자보다 크게 뽑는 방법은 몇 가지인지 선을 이어서 구하시오.

유형 2-1
3이 쓰여진 파란색 카드의 경우 3보다 작은 노란색 카드는 1이 쓰여진 카드 뿐이므로 1이 쓰여진 빨간색 카드에만 연결합니다.

3 •   • 1

7 •   • 5

6 •   • 8

접는 선

유형 2-1

방법1
냥이가 깜이와 비기는 경
우를 선으로 모두 이어
놓은 다음 이기는 경우를
선으로 잇습니다.

11 깜이와 냥이가 가위바위보를 하려고 합니다. 냥이가 가위바위보를
비기거나 이기는 경우를 모두 선으로 이어서 몇 가지 방법이 있는
지 구하시오.

유형 2-1

방법1
색연필을 하나 고르고 나
면 지우개를 고르는 방법
은 2가지가 있습니다.

방법2
지우개를 하나 고르고 나
면 색연필을 고르는 방법
은 4가지가 있습니다.

12 깜이는 문구점에서 색연필 4자루와 지우개 2개 중에서 서로 다르
게 색연필과 지우개를 1개씩 사려고 합니다. 몇 가지 방법이 있는
지 구하시오.

접
는

선

13 농장에서 수확한 사과를 상자 3개 중에 2개를 골라 똑같이 나누어 담으려고 합니다. 서로 다르게 상자 2개를 고르는 방법은 몇 가지인지 구하시오.

! 유형 3-1
상자 3개에서 2개의 상자를 묶는 방법과 같습니다.

14 점 4개 중에서 3개를 골라 세모 모양을 만들려고 합니다. 서로 다른 세모 모양은 모두 몇 개인지 구하시오.

! 유형 3-1
한 점을 제외하고 나머지 3개의 점을 이으면 세모 모양을 만들 수 있습니다.

접는 선

유형 3-1

4개 중 서로 다르게 2개
를 묶는 방법의 수와 같
습니다.

15 깜이는 마트에서 4가지 맛의 우유 중에 2가지 맛의 우유를 고르려
고 합니다. 서로 다르게 고를 수 있는 방법은 몇 가지가 있는지 구
하시오.

흰 우유

딸기 우유

초코 우유

바나나 우유

유형 3-1

먹을 도토리 1개를 고른
다음 나머지를 모두 집에
가져가면 됩니다.

16 아기 다람쥐가 도토리 6개를 구했는데 1개는 먹고 나머지 5개는
부모님에게 드리려고 합니다. 부모님께 드릴 도토리를 고르는 서
로 다른 방법은 몇 가지가 있는지 구하시오.

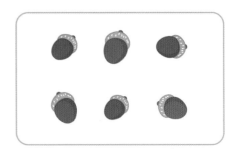

접
는
선

01 색칠된 칸에 깜이가 있는 칸에서 가장 적게 이동하는 칸의 개수를 쓰시오.

유형 1-1
가로로 떨어진 칸의 개수와 세로로 떨어진 칸의 개수의 합을 구합니다.

02 냥이가 있는 위치에서 가장 적게 이동하여 갈 수 있는 칸의 기호를 쓰시오.

유형 1-1
각각 몇 칸을 이동해야 갈 수 있는지 세어서 비교합니다.

가			나	
		다		
				라

03 칸 안의 수는 모두 같은 한 칸으로부터 가장 적게 이동한 칸의 개수를 나타냅니다. 이동한 한 칸을 색칠하시오.

(1)

	3			
		3		
2				4
			2	
			3	

(2)

		4			
				3	4
	3				
4		2			3

04 칸 안의 수는 모두 같은 칸으로부터 가장 적게 이동한 칸의 개수를
나타내는데 하나가 잘못 표시되어 있습니다. 잘못된 수가 있는 칸
에 ×표 하시오.

! 유형 1-1
2를 기준으로 찾는 것이
편리합니다.

5				
	2	3		5
			2	
		2		

05 두 점 가와 나에서 각각 선을 따라 2칸씩 이동할 때, 만날 수 있는
점의 개수를 구하시오.

! 유형 1-2
점 가에서 2칸을 이동하
여 만날 수 있는 점을 모
두 찾은 다음 점 나에서
도 2칸으로 이동할 수 있
는지 확인합니다.

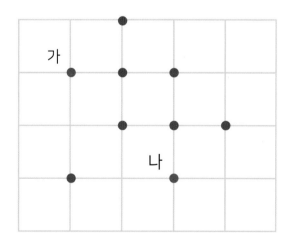

유형 1-3

시작점에서 한 번에 이동할 수 있는 점은 3개있습니다.

06 시작점에서 점과 점 사이를 두 번 이동해서 갈 수 있는 점은 모두 몇 개인지 구하시오. 단, 갔던 길은 다시 갈 수 없습니다.

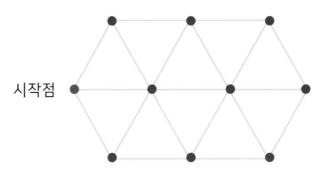

시작점

유형 1-3

시작점에서 한 칸 위의 점도 세 번 이동하면 갈 수 있는 점입니다.

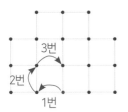

07 시작점에서 점과 점 사이를 세 번 이동해서 갈 수 있는 점은 모두 몇 개인지 구하시오. 단, 갔던 길은 다시 갈 수 없습니다.

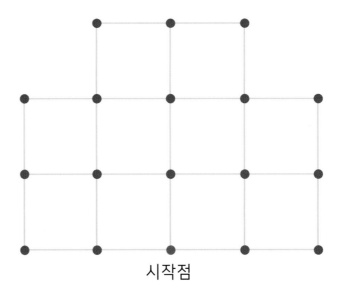

시작점

08 ㉠, ㉡, ㉢의 세 점 중 시작점에서 점과 점 사이를 다섯 번 이동하여 갈 수 없는 점의 기호를 쓰시오. 단, 갔던 길은 다시 갈 수 없습니다.

! 유형 1-3
㉠, ㉡, ㉢ 중 어느 한 점은 무조건 짝수 번을 이동해야만 갈 수 있습니다.

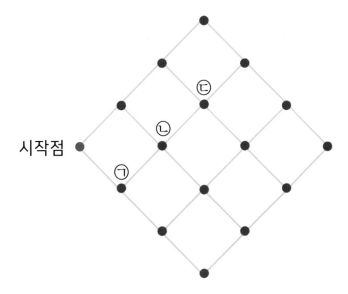

시작점

3-2. 조건에 맞게 그리기 | 09~11

09 다음 모양을 그리는데 자를 가장 적게 사용하려고 합니다. 자를 몇 번 대고 그릴 수 있는지 쓰시오.

! 유형 2-1
자를 대었을 때, 곧게 이어지는 가로와 세로의 줄은 모두 한 번에 그려야 합니다.

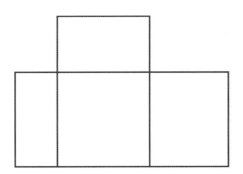

10 연필을 한 번도 떼지 않고 그릴 수 있는 알파벳에 모두 ○표 하시오.

유형 2-2
A, B, E, F 중에서는 하나만 연필을 한 번도 떼지 않고 그릴 수 있습니다.

A   B   E   F

H   K   M   P

R   T   X   Y

유형 2-2
처음에 어느 점에서 시작하느냐에 따라서 그리는 방법이 달라지기도 하고 그릴 수 없게 되기도 합니다.

11 연필을 한 번도 떼지 않고 그릴 수 있는 것이 3개 있습니다. 그릴 수 없는 것의 기호를 쓰시오.

㉠

㉡

㉢
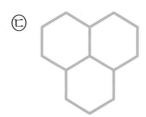

㉣
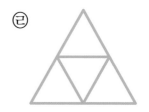

접는 선

12 앞 뒷면의 같은 위치에 같은 수가 쓰여 있는 네모 모양의 종이가 있습니다. 이 종이를 화살표 방향으로 두 번 접었을 때 윗면에 보이는 수를 쓰시오.

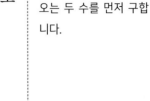

! 유형 3-1
처음 한 번 접었을 때 나오는 두 수를 먼저 구합니다.

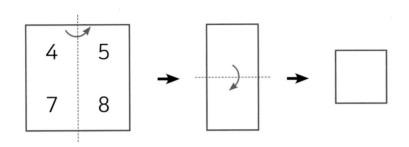

13 1에서 16까지 쓰여 있는 테이프를 아래의 자르는 규칙으로 네 번 잘랐을 때 남는 수를 구하시오.

! 유형 3-1
처음 ①번 과정을 거치면 1부터 8까지의 칸이 남습니다.

자르는 규칙

① 테이프의 절반을 잘라 오른쪽은 버립니다.

② 테이프의 절반을 잘라 왼쪽은 버립니다.

③ 테이프의 절반을 잘라 왼쪽은 버립니다.

④ 테이프의 절반을 잘라 왼쪽은 버립니다.

1	2	3	…	14	15	16

유형 3-1

처음에 절반을 자르고 왼쪽을 버리면 8부터 1까지의 8칸이 남습니다.

14 1에서 16까지 쓰여 있는 테이프를 계속 절반을 자르고 왼쪽을 버려 나가면서 두 칸이 남았을 때의 두 자리 수를 구하시오.

16	15	14	...	3	2	1

유형 3-1

처음에 한 번 자를 때, 1에서 8까지가 남게 해야 합니다.

15 1에서 16까지 쓰여 있는 테이프를 아래의 자르는 규칙으로 네 번 잘랐을 때, 3이 남게 하려면 어떤 순서대로 잘라야 하는지 번호를 쓰시오.

자르는 규칙

① 테이프의 절반을 잘라 오른쪽은 버립니다.

② 테이프의 절반을 잘라 왼쪽은 버립니다.

1	2	3	...	14	15	16

규칙의 순서 : ☐ → ☐ → ☐ → ☐

4-1. 문제를 해결하는 다양한 방법 | 01~08

01 동물원에 기린과 타조가 모두 5마리 있는데 다리를 모두 세어 보니 18개입니다. 타조는 몇 마리가 있는지 구하시오.

! 유형 1-1

기린은 다리가 4개, 타조는 다리가 2개입니다.

02 어느 서커스 팀에 외발자전거 와 두발자전거가 모두 10대 있는데 바퀴의 수를 세어 보니 모두 14개입니다. 외발자전거는 두발 자전거보다 몇 대 더 많은지 구하시오.

! 유형 1-1

모두 외발자전거이거나 모두 두발자전거라고 생각하고 전체 바퀴의 수를 구합니다.

유형 1-1

7명 모두 사탕을 2개씩 먹었다고 생각하고 묶은 다음 나머지 사탕의 개수를 세어 봅니다.

03 18개의 사탕을 7명이 각각 2개 아니면 3개씩 먹으려고 합니다. 사탕을 3개씩 먹는 사람은 몇 명인지 구하시오.

🍬 🍬 🍬 🍬 🍬 🍬 🍬 🍬 🍬

🍬 🍬 🍬 🍬 🍬 🍬 🍬 🍬

유형 1-1

하루에 모두 3박스씩을 수확했다면 5일간 15박스를 수확해야 합니다.

04 어느 농장에서 하루에 사과를 3박스 또는 4박스씩 수확합니다. 5일간 수확한 사과가 16박스일 때, 하루에 3박스씩을 수확한 날은 며칠인지 구하시오.

접는 선

05 깜이는 맞으면 4점, 틀리면 2점을 얻는 수학 문제를 모두 6문제 풀었습니다. 깜이가 얻은 점수가 22점일 때, 틀린 문제는 몇 개인지 구하시오.

유형 1-2
깜이가 6문제를 모두 틀렸다면 12점을 얻어야 합니다.

06 다음과 같이 맞추면 7점과 5점을 얻는 과녁판이 있습니다. 화살 5발을 쏘았더니 31점이 되었을 때, 7점에 맞은 화살은 몇 개인지 구하시오. 단, 빗나간 화살은 없습니다.

유형 1-2
모두 5점에 맞았다면 25점이 되어야 합니다.

유형 1-2
6일간 계속 5쪽씩 읽었으면 30쪽을 읽어야 합니다.

07 깜이는 지구에 관한 백과사전을 하루에 10쪽 또는 5쪽씩 읽었습니다. 6일간 55쪽을 읽었다면 하루에 10쪽씩 읽은 날은 며칠인지 구하시오.

유형 1-2
주머니에 모두 구슬을 5개씩 넣으면 모두 40개가 되어야 합니다.

08 주머니 8개에 구슬을 5개 또는 6개씩 넣으려고 합니다. 넣은 구슬이 모두 45개일 때, 구슬을 5개씩 넣은 주머니는 몇 개인지 구하시오.

접는 선

09 여우가 가지고 있는 구슬의 개수를 구하시오.

> • 거북이는 구슬 10개가 있습니다.
>
> • 토끼는 거북이보다 구슬이 4개 많습니다.
>
> • 여우는 토끼보다 구슬을 2개 적게 가지고 있습니다.

유형2-1

그림을 그려서 생각해 봅니다.

10 깜이, 냥이, 송연이, 주영이가 연필 20자루를 나누어 가지려고 합니다. 주영이가 가진 연필은 몇 자루인지 구하시오.

> • 깜이는 전체 연필의 절반을 가지고 있습니다.
>
> • 송연이는 깜이보다 연필이 6자루 적습니다.
>
> • 냥이는 송연이보다 연필이 1자루 많습니다.

유형2-1

그림을 그려서 깜이, 냥이, 송연이가 가진 연필의 개수를 구한 다음 전체에서 세 사람이 가진 연필을 제외하고 남은 개수를 구합니다.

접는 선

유형 2-1

두 번째 조건까지 그림을 그려 보면 다음과 같습니다.

11 동물들이 서 있는 순서를 설명한 것입니다. 호랑이보다 오른쪽에 있는 동물에 모두 ○표 하시오.

> • 펭귄 왼쪽에 원숭이가 있습니다.
>
> • 돼지 바로 오른쪽에 펭귄이 있습니다.
>
> • 원숭이 바로 옆에 호랑이가 있습니다.
>
> • 원숭이는 제일 왼쪽에 있습니다.

유형 2-2

처음 깜이와 냥이가 한 번씩 뛰고 난 후 몇 칸 차이가 나는지 알아봅니다.

12 깜이는 왼쪽으로 4칸을 뛰었고 냥이는 오른쪽으로 3칸을 뛴 다음 깜이가 냥이 쪽으로 몇 칸을 뛰었더니 두 사람이 같은 칸에서 만나게 되었습니다. 깜이가 냥이쪽으로 몇 칸을 뛰었는지 구하시오.

냥이　　　　　　　　　깜이

접는 선

13 가로로 이어진 10칸 안에 깜이, 냥이, 송연이가 각자 한 칸씩 들어가 있습니다. 깜이가 있는 칸을 색칠하시오.

! 유형2-2

냥이가 오른쪽으로 3칸 이동할 경우 10번째 칸에 있게 됩니다.

> • 깜이와 송연이 사이에는 2칸이 있고 둘 사이에는 아무도 없습니다.
>
> • 냥이가 왼쪽으로 4칸 이동하면 송연이와 만납니다.
>
> • 냥이가 오른쪽으로 3칸 이동하면 가장 오른쪽 칸에 있게 됩니다.

14 통나무를 절반씩 2번 잘랐더니 길이가 5인 도막이 되었습니다. 처음 통나무의 길이를 구하시오.

! 유형2-3

두 번째 자르기 전의 통나무의 길이는 5의 두 배인 10입니다.

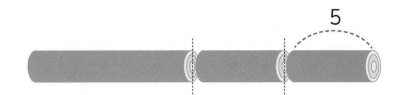

유형 2-3

절반을 먹고 난 후를 그림을 그려서 생각해 봅니다.

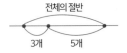

15 도너츠가 몇 개 있었는데 처음에 도너츠의 절반을 먹고 나서 3개를 더 먹었더니 도너츠가 5개가 남았습니다. 처음에 있던 도너츠는 몇 개인지 구하시오.

유형 2-3

전체의 절반에 4대를 더하면 모두 11대입니다.

16 어느 주차장에 차의 절반이 빠져나가고 난 후 4대가 더 들어와서 11대가 되었습니다. 처음 주차장에는 모두 몇 대의 차가 있었는지 구하시오.

접는선

예비 활동 가이드
정답 및 풀이

예비 활동 가이드

● 다양한 활동 방법 제시

● 예비 활동을 위한 활동 자료

● 본문의 이해를 돕는 예비 학습

정답 및 풀이

● 상세한 풀이 수록

사고력 수학

확률과 통계 / 문제해결

A6
초1 · 초2

천종현수학연구소

예비 활동 가이드

1단원 15쪽 기준과 분류 - 1-2. 단추의 분류

분류 기준
찾기

분류하기에서 가장 중요한 것은 정확한 분류 기준을 찾는 것입니다. 아이와 함께 활동지를 이용하여 분류 기준을 찾는 활동을 간단한 게임으로 해 볼 수 있습니다.

분류 기준 찾기 게임

준비물 -활동 자료 1

<게임 방법>

① 활동 자료의 카드 16장을 잘 섞은 다음 뒤집어서 쌓아 두고 제일 위의 3장을 펼쳐 놓습니다.

② 펼쳐 놓은 카드 3장에서 공통점이 있으면 '찾았다'를 말하고 공통점을 말한 다음 3장을 모두 가져갑니다.

③ 공통점을 찾지 못하거나 공통점이 없으면 카드 한 장을 더 뒤집습니다. 4장 중에 3장의 카드의 공통점을 발견하여 같은 방법으로 진행합니다.

④ 쌓아 놓은 카드에서 공통점을 더 이상 찾을 수 없을 때까지 진행하여 카드를 더 많이 모은 사람이 이깁니다.

예) 공통점 찾기

눈이 2개(1개)입니다.

<눈의 개수>

색깔이 빨간색(초록색)입니다.

<색깔>

동그란(네모난) 모양입니다.

<모양>

뿔이 1개(2개)입니다.

<뿔의 개수>

정답

1. 기준과 분류

9쪽

생각열기

몇 층에 가야 할까요?

다음은 냥이네 가족이 사려는 옷을 나타낸 것입니다. 표에 층마다 살 수 있는 옷의 번호를 쓰시오.

층수	1층	2층	3층	4층	5층	6층
옷	①, ③			④, ⑤, ⑥	②, ⑦	⑧

층과 층 사이에는 모두 엘레베이터가 있습니다. 1층부터 필요한 층만 들리면서 옷을 모두 살 때까지 엘레베이터는 몇 번 타게 됩니까?

1층에서 4층, 4층에서 5층, 5층에서 6층으로 엘리베이터는 모두 세 번 타야 합니다.

10쪽

☕ 깜이는 어머니 심부름으로 분리수거를 하려고 합니다. 어떤 색의 수거함에 쓰레기를 가장 많이 넣어야 합니까?　　　초록색 수거함

[풀이]

종이 :

플라스틱 :

캔 유리 :

11쪽

탐구주제

　분류와 정리 방법

깜이가 책을 분류하고 정리한 방법은 무엇입니까?
크기가 큰 책부터 작은 책의 순서대로 정리하였습니다.

냥이가 책을 분류하고 정리한 방법은 무엇입니까?
위인전, 동화책, 백과사전으로 같은 종류의 책끼리 모아 놓았습니다.

두 가지 방법 외에 책을 분류하여 정리하는 방법을 설명하시오.
책의 색깔, 책의 표지, 책의 제목(가나다순), 평소 자주 읽는 책 순서 등 분류 기준을 어떻게 정하느냐에 따라서 다양한 정리 방법이 있습니다.

12쪽

주영이가 책을 분류하고 정리한 방법은 무엇입니까?
왼쪽부터 책 제목의 첫 글자의 자음을 ㄱ, ㄴ, ㄷ… 의 순서대로 정리한 것입니다.

송연이는 자신이 보던 책을 주영이가 정리한 방법에 맞도록 꽂아놓으려고 합니다. □ 안에 몇 번과 몇 번 책 사이에 넣으면 되는지 쓰시오.

➡ ⑦ 번과 ⑧ 번사이

[풀이]
송연이가 보던 책의 첫 글자의 자음이 ㅈ이므로 자음이 ㅇ인 이순신 장군 위인전의 오른쪽에 꽂아야 합니다.

13쪽

탐구 유형 1-1 장갑의 분류

[정답]

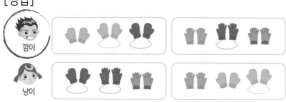

[풀이]

깜이는 장갑을 두 손가락 장갑(벙어리 장갑)과 다섯 손가락 장갑으로 3개씩 분류하였습니다.

연습 01

[정답]

[풀이]

반 팔 티셔츠와 긴 팔 티셔츠로 분류하였는데 ㉣이 잘못 분류되었습니다.

14쪽

연습 02

[정답]

[풀이]

가는 네모난 모양이고 나는 둥근 부분이 있는 모양으로 분류한 것입니다.

연습 03

[정답]

[풀이]

동물들이 다니는 곳을 물속, 땅 위, 하늘로 분류한 것입니다.

15쪽

탐구 유형 1-2 단추의 분류

[정답] (1) 분류기준: 　(2) 분류기준:

[풀이]

양쪽의 단추에서 공통된 속성을 찾습니다.

1) 단춧구멍이 각각 4개와 2개씩입니다.

2) 단추의 색깔이 각각 주황색과 빨간색입니다.

연습 01

[정답] ③

16쪽

연습 02

[정답] ㉡

[풀이]

탈 것이 다니는 곳을 땅 위와 하늘로 분류하면 땅 위를 다니는 것이 4대, 하늘 위를 나는 것이 2대로 분류할 수 있습니다.

연습 03

[정답] 나

[풀이]

글자의 받침이 각각 ㄴ, ㄹ, ㅅ으로 같은 받침끼리 분류되어 있습니다.

탐구주제
② 표로 나타낸 자료

깜이는 조사한 내용을 보고 표로 만들었습니다. 표 안의 수는 해당되는 학생의 수를 나타낼 때, 가 칸의 수는 얼마입니까?　9

	안경 쓴 학생	안경을 쓰지 않은 학생
여학생 수(명)	나	9
남학생 수(명)	6	가

<1반의 안경 쓴 학생과 안경을 쓰지 않은 학생 수>

전체 학생이 28명이므로 안경을 쓴 학생 수를 알면 나의 칸의 값을 알 수 있습니다. 나 칸의 수는 얼마입니까?　4

완성한 표를 보고 전체 남학생과 여학생 수를 구하시오.

남학생: ⎡15⎤명　　　여학생: ⎡13⎤명

[풀이] 안경을 쓰지 않은 학생이 18명인데 이 중 여학생이 9명이므로 안경을 쓰지 않은 남학생은 9명입니다. 따라서, 전체 학생 수가 28명이므로 나를 제외한 나머지 수를 빼면 나=28-9-6-9=4(명)입니다.

2반의 학생 28명에게도 같은 조사를 했습니다. 냥이가 깜이와 같은 방법으로 표를 만들려고 할 때, 빈칸에 알맞은 수를 써넣으시오.

	안경 쓴 학생	안경을 쓰지 않은 학생
여학생 수(명)	2	10
남학생 수(명)	5	11

<2반의 안경 쓴 학생과 안경을 쓰지 않은 학생 수>

두 반의 결과를 비교하여 설명하였습니다. 맞는 말을 한 사람의 얼굴에 모두 ○표 하시오.

: 2반에 여학생이 안경을 더 많이 썼어!

: 2반이 안경을 쓰지 않은 학생이 더 많아!

: 2반이 남학생이 더 많아.

: 1반이 안경을 쓴 남학생이 더 많아.

[풀이] 남학생이 모두 16명이므로 안경을 쓰지 않은 남학생은 16-5=11(명)이고 안경을 쓰지 않은 사람이 21명이므로 이 중 여학생은 21-11=10(명)입니다. 따라서, 28명 중에 안경 쓴 여학생은 28-10-5-11=2(명)입니다.

탐구 유형 2-1　　**채소 채우기**

[정답] (1)

채소	가지	당근	양파
남은 채소의 개수(개)	6	7	8
채워야 할 채소의 개수(개)	9	8	7

(2)　2개

[풀이]
각각의 남은 채소의 개수를 세서 표로 만든 다음 각각 15개에서 모자라는 수만큼을 표에 적습니다.

연습 01

[정답]

모양		▯	○
개수(개)	2	4	2

탐구 유형 2-2　　**두 달의 날씨 비교**

[정답] ①, ④

[풀이]
② 7월은 흐린 날이 7일, 8월은 흐린 날이 8일로 8월의 흐린 날이 더 많습니다.
③ 7월은 15+7+9=31(일), 8월은 19+8+4=31(일)로 두 달 모두 31일까지 있습니다.

연습 01

[정답]

계절	봄	여름	가을	겨울
학생 수 (명)	5	4	12	2

<가 반>

[풀이]
나 반의 가을을 좋아하는 학생이 7명이고 가 반의 가을을 좋아하는 학생보다 5명이 적으므로 가 반의 가을을 좋아하는 학생은 7+5=12(명)입니다.

02

[정답] 1개

[풀이] · ㉠ 농장에서 ㉡ 농장보다 두 배 더 기르는 것은 오리
입니다.

· ㉠과 ㉡ 농장에서 기르는 오리를 합하면 모두
12+6=18(마리)입니다.

연습 03

[정답] 나, 라

[풀이] 가. 앞면으로 놓인 전체 동전의 개수는 9개임을 알
수 있지만 각각 금액별로는 알 수 없습니다.

다. 뒷면의 개수가 9개인 것은 알지만 그 중 100원
짜리 동전의 개수는 알 수 없습니다.

라. 전체 동전의 개수는 금액별로 더해도, 동전에
놓인 면의 개수를 더해도 모두 18개입니다.

22쪽

탐구 유형 2-3 **표 완성하기**

[정답] (1) 4명   (2) 8명, 13명

[풀이]

1) 겨울을 더 좋아하는 학생 9명 중에 여학생이 5명이
므로 겨울을 더 좋아하는 남학생은 4명입니다.

2) 여름을 더 좋아하는 여학생은 전체 학생 24명에서 나
머지 칸의 개수를 빼서 구합니다. 24-5-7-4=8(명)
이므로 여학생은 모두 8+5=13(명)입니다.

	여름	겨울
여학생 수(명)	8	5
남학생 수(명)	7	4

<냥이네 반 학생들이 좋아하는 계절>

 01

[정답] 9명

[풀이]

강아지를 더 좋아하는 남학생이 5명이므로 고양이를 더 좋아
하는 여학생 수는 전체 24명에서 나머지 사람의 수를 빼서 구
할 수 있습니다. 24-6-5-4=9(명)

 02

[정답]

	초록색	노란색	합계
■모양 개수(개)	2	6	8
▲모양 개수(개)	4	6	10
합계	6	12	18

<모양의 분류>

[풀이]

가로줄이나 세로줄의 합계를 이용하여 빈칸에 알맞은 수를 써
넣습니다.

연습 03

[정답]

	자전거	컴퓨터	게임기	합계
여학생 수(명)	2	6	3	11
남학생 수(명)	5	2	5	12
합계	7	8	8	23

<깜이네 반 학생들이 생일 선물로 받고 싶은 것>

[풀이]

가로줄이나 세로줄의 합계를 이용하여 빈칸에 알맞은 수를 써
넣습니다.

24쪽

 TOP 사고력

01

[정답] 2장

[풀이] 색깔이 초록색인 카드는 8장이고 그 중 얼굴이 네모 모양인 것은 4장, 그중 눈이 2개인 것은 2장입니다.

02

[정답]

12	6	8

5	3	7	9	19

[풀이]

수가 3개와 5개로 분류되는 기준을 찾아 보면 짝수가 6, 12, 8로 3개, 홀수가 9, 3, 5, 7, 19로 5개 있습니다.

25쪽

03

[정답]

	야구	농구	축구	합계
여학생 수(명)	4	2	~~7~~ 6	12
남학생 수(명)	8	2	3	13
합계	12	4	9	25

[풀이]

가로와 세로 줄에서 합계가 틀린 줄을 각각 찾아 보면 두 줄이 만나는 축구를 좋아하는 여학생의 수를 7에서 6으로 바꾸면 두 줄의 합계가 모두 맞게 됩니다.

	야구	농구	축구	합계
여학생 수(명)	4	2		
남학생 수(명)	8	2		13
합계	12	4		25

04

[정답]

• (세모, 네모, 동그라미) 모양입니다.
• (빨간색, 파란색, 초록색) 입니다.
• 크기는 (작습니다, 큽니다)

[풀이]

동그라미 모양을 모두 찾은 다음 다른 것과 색깔이나 크기가 1가지로 분류되는 기준을 찾습니다.

이 중 초록색 작은 모양은 1개 밖에 없으므로 분류 기준을 초록색과 작은 크기로 찾으면 됩니다.

2. 다양한 방법의 수

27쪽

 생각열기

학교 가는 길

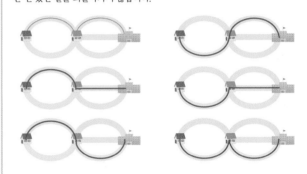

깜이가 냥이네 집을 거쳐 학교까지 가는 서로 다른 길을 모두 그려 보시오. 단, 한 번 갔던 길을 되돌아가지 않습니다.

깜이네 집에서 학교로 바로 갈 수 있는 길이 생겼습니다. 깜이가 학교까지 가는 서로 다른 길은 모두 몇 개입니까?

8개

28쪽

주영이가 학교까지 가는 서로 다른 길은 모두 몇 개인지 구하시오.

10개

[풀이]

주영이네 집에서 편의점으로 바로 가는 길이 3개 있는데 각각 편의점에서 학교까지 가는 길이 3개씩 있습니다. 따라서, 편의점을 거쳐서 학교까지 가는 길은 3+3+3=9(개)이고 편의점을 거치치 않고 바로 학교까지 가는 길이 1개 더 있으므로 주영이네 집에서 학교까지 가는 길은 모두 9+1=10(개)가 있습니다.

29쪽

탐구주제

1 고르는 방법의 수

학용품을 고르는 방법은 각각 몇 가지가 있는지 알아보려고 합니다. 각 학용품의 개수를 세어 □ 안에 알맞은 수를 써넣으시오.

①색연필 1자루를 고르는 방법 : │ 4 │ 가지

②연필꽂이 중에서 노란색이 아닌 것 하나를 고르는 방법 : │ 2 │ 가지

③노트 또는 지우개 중에서 하나를 고르는 방법 : │ 5 │ 가지

④풀 또는 가위 중에서 하나를 고르는 방법 : │ 5 │ 가지

[풀이]

각각의 개수를 세어서 고르는 방법의 개수를 구합니다.

① 색연필 4자루 중에서 1자루를 고르면 됩니다.

② 연필꽂이는 3개가 있고 노란색이 아닌 것은 2개입니다.

③ 노트는 2권이고 지우개는 3개이므로 이 중에서 하나를 고르는 방법은 2+3=5(가지)입니다.

④ 풀은 2개가 있고 가위는 3개가 있으므로 이 중에서 하나를 고르는 방법은 2+3=5(가지)입니다.

30쪽

깜이는 노트 한 권과 색연필 한 자루를 사려고 합니다.

깜이가 노란색 노트를 샀을 때, 서로 다르게 색연필을 사는 방법은 몇 가지입니까?

│ 4 │ 가지

깜이가 초록색 노트를 샀을 때, 서로 다르게 색연필을 사는 방법은 몇 가지입니까?

│ 4 │ 가지

깜이가 서로 다르게 노트와 색연필을 사는 방법을 덧셈식으로 나타냈습니다. □ 안에 알맞은 수를 써넣으시오.

│ 4 │ + │ 4 │ = │ 8 │ (가지)

깜이는 가위와 연필꽂이를 하나씩 더 사려고 합니다. 서로 다르게 가위와 연필꽂이를 사는 방법은 몇 가지입니까? **6가지**

[풀이]

초록색 가위를 살 때, 연필꽂이를 사는 방법이 3가지, 빨간색 가위를 살 때, 연필꽂이를 사는 방법이 3가지가 있으므로 가위와 연필꽂이를 서로 다르게 사는 방법은 모두 3+3=6(가지)가 있습니다.

31쪽

탐구 유형 1-1 **공원까지 가는 길**

[정답] (1) 버스   (2) 6가지

[풀이]

1) 지하철이나 자전거는 가는 방법이 1가지이지만 버스는 4가지 버스 중 하나를 골라서 타고 갈 수 있습니다.

2) 공원까지 가는 방법은 지하철, 자전거, 버스 4가지로 모두 1+1+4=6(가지)입니다.

 01

[정답] 7가지

[풀이]

아이스크림은 제외하고 주스에서 사과주스를 제외한 3가지, 탄산 음료수에서 사이다를 제외한 1가지, 따뜻한 음료에서 3가지를 고를 수 있으므로 고를 수 있는 음료수는 모두 3+1+3=7(가지)입니다.

02

[정답]

깜이가 우산을 고르는 방법의 수 :	4 개
냥이가 우산을 고르는 방법의 수 :	3 개

[풀이]

깜이는 우산 4개를 모두 고를 수 있고 냥이는 깜이가 고른 우산 1개를 빼고 나머지 3개를 고를 수 있습니다.

03

[정답] 2가지

[풀이]

돼지와 곰이 남은 자리에 차례로 서는 방법은 2가지가 있습니다.

탐구 유형 1-2 **두 돌림판의 숫자**

[정답] (1) 가 돌림판 : 2 개   나 돌림판 : 4 개

(2) 8개

[풀이]

십의 자리 숫자가 5나 8이 되면 일의 자리 숫자는 1, 3, 5, 7 모두 50보다 큰 수가 됩니다. 따라서 50보다 큰 수는 십의 자리 숫자가 5일 때, 4개, 십의 자리 숫자가 8일 때 4개를 만들 수 있으므로 모두 4+4=8(개)를 만들 수 있습니다.

01

[정답] 4개

[풀이]

십의 자리 숫자가 4일 때 일의 자리 숫자가 2와 7의 2가지, 십의 자리 숫자가 6일 때, 일의 자리 숫자가 2와 7인 2가지가 있으므로 모두 2+2=4(개)의 서로 다른 수를 만들 수 있습니다.

탐구주제
2 **조건에 맞게 선 잇기**

깜이가 다른 사람의 의자에 앉았을 때, 세 사람이 모두 다른 의자에 앉도록 나머지 선을 그어 보시오.

[풀이]

냥이와 송연이가 앉는 자리를 먼저 그려도 두 가지 방법 중 하나와 선을 잇는 방법이 같아집니다.

이번에는 한 사람만 자신의 의자에 앉는 경우를 알아보려고 합니다. 한 사람만 자신의 의자에 앉았을 때, 나머지는 서로 다른 의자에 앉도록 선을 그어 보시오.

세 사람 중 한 사람이라도 서로 다른 사람의 의자에 앉는 방법은 모두 몇 가지입니까?

5가지

[풀이]

두 사람만 서로 같은 의자에 앉는 방법은 없으므로 한 사람이라도 서로 다른 의자에 앉는 방법은 앞의 세 사람 모두 다른 의자에 앉는 방법 2가지와 한 사람만 서로 다른 의자에 앉는 방법 3가지가 있으므로 모두 2+3=5(가지)가 있습니다.

[정답] (1)

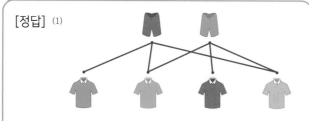

(2) 6가지

[풀이]

빨간색 바지는 빨간색을 제외한 나머지 3개의 티셔츠에 선을 잇고, 파란색 바지는 파란색 티셔츠를 제외한 나머지 3개의 티셔츠에 선을 잇습니다.

 연습 01

[정답] 3가지

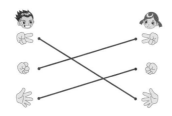

 연습 02

[정답] 6가지

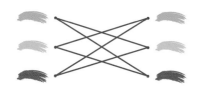

[풀이]

왼쪽 칸에 3가지 색 중에 하나를 고르면 오른쪽에는 각각 2가지 색을 이을 수 있습니다. 따라서, 2+2+2=6(가지) 방법으로 색을 칠할 수 있습니다.

 연습 03

[정답] 12개

[풀이]

십의 자리 숫자의 공을 선택하면 같은 숫자의 공은 잇지 않습니다. 따라서 만들 수 있는 서로 다른 두 자리 수의 개수는 3+3+3+3=12(개)입니다.

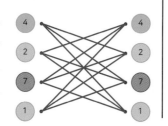

4개의 악기 중 하나의 악기를 고르는 방법은 몇 가지가 있습니까?

4가지

4개의 악기 중 2개의 악기를 고르는 방법을 알아보려고 합니다. 직접 4개의 악기 중에서 2개의 악기를 서로 다른 방법으로 묶어 보시오.

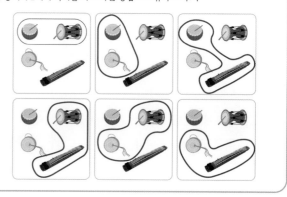

4개의 악기 중 3개의 악기를 고르려고 합니다. 서로 다른 방법으로 3개의 악기를 묶어 보시오.

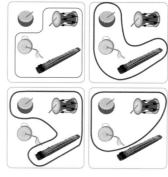

4개의 악기 중에서 3개의 악기를 고르는 방법은 4개의 악기 중에서 하나의 악기를 고르는 방법과 개수가 같습니다. 왜 그런지 설명하시오.

4개의 악기 중 하나를 고른 다음 나머지 3개의 악기를 묶으면 되기 때문에 4개의 악기 중 하나를 고르는 방법과 그 개수가 같습니다.

🖐 4개의 악기에 단소가 추가되어 5개의 악기 중에서 4개의 악기를 체험해 보려고 합니다. 4개의 악기를 고르는 방법은 몇 가지가 있는지 구하시오.

_____ 5가지
단소

[풀이]

5개 중에 하나를 남겨 두고 나머지 4개를 고르면 5개 중에 하나를 고르는 방법과 개수가 같습니다.

탐구 유형 3-1 │ 별 그리기

[정답] 5개

[풀이]
6개의 점에서 하나의 점을 제외하고 나머지 5개의 점을 잇는 방법은 모두 6가지인데 보기의 한 가지 방법을 제외하고 모두 5개의 모양을 더 그릴 수 있습니다.

 01

[정답] 6가지

[풀이] 점 4개에 그릴 수 있는 선을 모두 그리면 6개가 나옵니다.

 02

[정답] 7가지

[풀이]
7개의 쿠키 중 한 개를 고른 다음 나머지 6개를 고르면 되므로 7개 중 1개의 쿠키를 고르는 방법과 개수가 같습니다.

연습 03

[정답] 10가지

[풀이]
10명 중 한 명은 교실에 있고 나머지 9명이 밖으로 나가는 방법이므로 10명 중 한 명을 고르는 방법과 개수가 같습니다.

 TOP 사고력

01
[정답] 3가지

[풀이]
송연이네 집에서 편의점을 가는 방법은 2가지이고 각각 편의점에서 주영이네 집으로 가는 방법이 2가지와 1가지가 있으므로 모두 2+1=3(가지)방법이 있습니다.

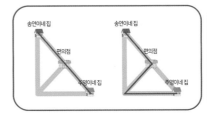 

02
[정답] 8개

[풀이]
십의 자리 숫자와 일의 자리 숫자가 같을 때와 다를 때를 나눠서 생각합니다.

십의 자리 숫자와 일의 자리 숫자가 같을 때 : 33, 44
십의 자리 숫자와 일의 자리 숫자가 다를 때 : 1, 3, 4에서 두 장을 뽑아 만들 수 있는 두 자리 수의 개수와 같으므로 13, 14, 31, 34, 41, 43의 6가지
따라서, 숫자 카드 중에서 2장을 골라 만들 수 있는 서로 다른 두 자리 수의 개수는 2+6=8(개)입니다.

03
[정답] 9가지

[풀이]
사과는 먹지 않기 때문에 결국 9개의 과일에서 8개의 과일을 고르는 방법과 같고 이는 결국 9개의 과일에서 1개의 과일을 고르는 방법과 개수가 같습니다.

04

[정답] 12가지

[풀이]

가, 나 순서대로 넣는 방법과 나, 가의 순서대로 넣는 방법의 개수를 따로 구합니다.

1) 가, 나의 순서대로 칸에 넣는 방법 : 6가지

가	나		

가		나	

가			나

	가	나	

	가		나

		가	나

2) 나, 가의 순서대로 칸에 넣는 방법 : 6가지

나	가		

나		가	

나			가

	나	가	

	나		가

		나	가

따라서 가와 나를 한 칸에 한 글자씩 넣는 방법은 모두 6+6=12(가지)입니다.

3. 조건에 맞게 직접 해 보기

45쪽

생각열기

개구리의 이동 순서

개구리가 첫 번째로 뛰어서 도착할 수 있는 가장 큰 수를 구하시오.

7

개구리가 두 번째로 뛰어서 도착할 수 있는 가장 큰 수를 구하시오.

13

개구리는 몇 번을 뛰면 마지막 25번 칸까지 갈 수 있습니까?

4번

[풀이]

개구리가 5칸을 모두 뛰는 것과 파란색 자리에서 몇 칸을 더 움직이는 것 중 더 멀리 갈 수 있는 방법을 찾으면 7, 13, 18을 거쳐 마지막 4번째에 25까지 갈 수 있습니다.

46쪽

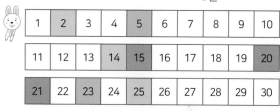

토끼는 한 번에 1칸부터 6칸까지 뛸 수 있습니다. 가장 적게 뛰어 마지막 30까지 가려면 몇 번을 뛰어야 하는지 구하시오. 3번

[풀이]

토끼가 6칸을 모두 뛰는 것과 색칠된 자리에서 몇 칸을 더 움직이는 것 중 더 멀리 갈 수 있는 방법을 찾으면 8, 19를 거쳐 마지막 3번째에 30까지 갈 수 있습니다.

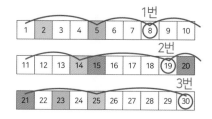

탐구주제
1 숫자 위치 찾기

탐구 유형 1-1 숫자 위치 찾기

[정답] 가: 6 나: 5 다: 6 라: 4

[풀이]
깜이는 초록색 칸으로, 냥이는 파란색 칸으로 각각 가로로 몇 칸 세로로 몇 칸 움직였는지를 세서 더합니다.
가 : 깜이가 있는 칸에서 가로로 2칸, 세로로 4칸
나 : 냥이가 있는 칸에서 가로로 3칸, 세로로 2칸
다 : 냥이가 있는 칸에서 가로로 2칸, 세로로 4칸
라 : 깜이가 있는 칸에서 가로로 4칸

01

[정답] ㉠: 6 ㉡: 4 ㉢: 5 ㉣: 3

[풀이]
색칠된 칸에서 가로로 몇 칸, 세로로 몇 칸 움직였는지를 세어서 더합니다.

48쪽

02

[정답]

4			3	
		2		
		■		
		3		4

[풀이]
가장 작은 수인 2를 기준으로 찾습니다. 2가 있는 칸에서 2칸을 이동할 수 있는 칸 중에 모든 칸에 있는 수를 만족하는 칸을 찾습니다.

03

[정답]
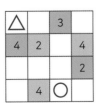

49쪽

탐구 유형 1-2 도둑을 잡아라!

[정답] ⑴ 가, 나, 라, 마 ⑵ 나, 라, 마

[풀이]

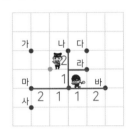

경찰이 2칸 이동하여 갈 수 있는 점은 가, 나, 라, 마이고 도둑이 2칸 이동하여 갈 수 있는 점은 나, 라, 마, 바입니다.

01
[정답]
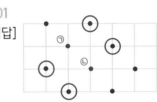

50쪽

02
[정답]

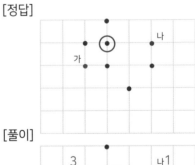

[풀이]

㉠ 점을 제외하고는 나머지 점들은 모두 각각 3칸씩 이동해서 만날 수 있습니다.

연습 03

[정답] ②

[풀이]

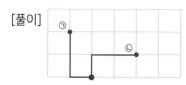

①에서는 이 점 외에도 3칸씩 이동하여 다른 한 점에서 만날 수 있고 ②에서는 어떠한 점도 각각 3칸씩 이동해서 동시에 같은 점으로 갈 수 없습니다.

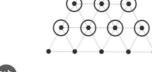

52쪽

연습 02

[정답]

51쪽

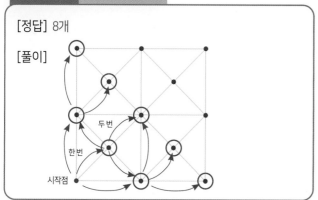

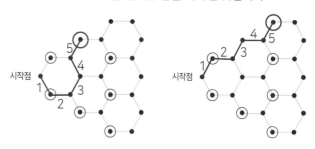

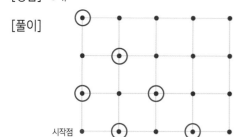

| 탐구 유형 1-3 | 점이 이동하는 곳 |

[정답] 8개

[풀이]

연습 01

[정답] 6개

[풀이]

연습 03

[정답]

[풀이]

모두 시작점에서 5칸을 움직인 점을 나타낸 것입니다.

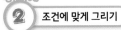

② 조건에 맞게 그리기

탐구 유형 2-1 자를 가장 적게 사용해서 그리기

[정답]

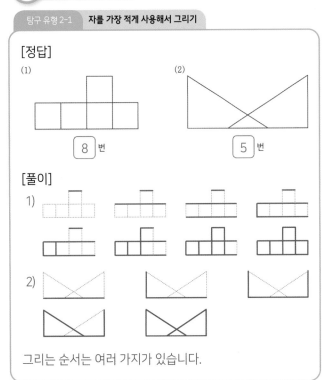

(1)

(2)

8 번

5 번

[풀이]

1)

2)

그리는 순서는 여러 가지가 있습니다.

01

[풀이]

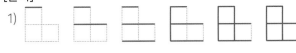

1)

2)

3)

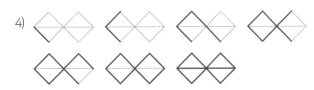

4)

그리는 순서는 여러 가지가 있습니다.

탐구 유형 2-2 연필 떼지 않고 한 번에 그리기

[정답]

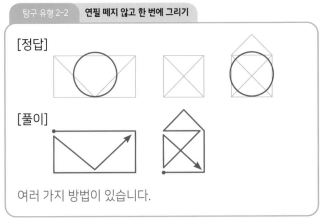

[풀이]

여러 가지 방법이 있습니다.

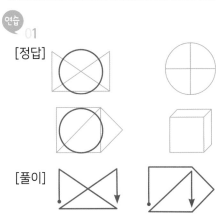01

[정답]

[풀이]

여러 가지 방법이 있습니다.

02

[정답] 나

[풀이]

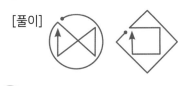

03

[정답] 2개

[풀이]

여러 가지 방법이 있습니다.

그릴 수 있는 것은 네 개이고 나머지 두 모양은 연필을 한 번도 떼지 않고 그릴 수 없습니다.

③ 자르고 남는 수

①, ②, ③의 과정을 거칠 때마다 칸에 남게 되는 수를 쓰시오.

| 1 | 2 | 3 | 4 | ➡ | 3 | 4 | ➡ | 3 |

과정①을
거치고 남는 수

과정②를
거치고 남는 수

과정③을
거치고 남는 수

같은 테이프에서 자르는 규칙의 순서를 바꿔서 자르면 남게 되는 수를 구해보시오.

(1) ② → ① → ③의 순서

➡ 남는 수: 5

(2) ① → ③ → ②의 순서

➡ 남는 수: 2

[풀이]

과정을 거칠 때마다 칸에 남는 수를 차례로 쓰면

1) 5, 6, 7, 8 → 5, 6 → 5

2) 1, 2, 3, 4 → 1, 2 → 2

빈칸에 과정에 따라 자른 후 남는 수를 써넣으시오.

| 9 | ... | 16 | ➡ | 9 | 10 | 11 | 12 | ➡ | 9 | 10 | ➡ | 10 |

과정①을
거치고 남는 수

과정②를
거치고 남는 수

과정③을
거치고 남는 수

과정④를
거치고 남는 수

자르는 규칙의 순서를 바꿔서 마지막에 남는 수가 7이 되도록 하려고 합니다. □ 안에 자르는 규칙의 순서의 번호를 순서대로 써넣으시오. 단, ①부터 ④의 규칙을 한 번씩 사용합니다.

규칙의 순서: ② ➡ ① ➡ ④ ➡ ③

➡ 마지막에 남는 수: 7

[풀이]

마지막에 남는 수가 7이 되도록 해야 하는데 ②와 ①의 규칙을 거치면 남게 되는 수는 5, 6, 7, 8이므로 7, 8을 남겨 놓기 위해서 왼쪽을 버리고 7, 8이 남았을 때, 오른쪽을 버리면 7만 남습니다.

탐구 유형 3-1 　네모 모양 접기

[정답] (1) | 3 | 4 |　　(2) | 2 |

[풀이]

1) 가로로 절반을 접어 올리면 아래에 있던 3, 4칸의 뒷면이 윗면으로 올라와 3, 4가 보이게 됩니다.

2) 세로로 절반을 접어 왼쪽으로 올리면 오른쪽 뒷면에 있는 2가 윗면으로 올라가게 됩니다.

연습 01

[정답] 3

[풀이] 각각의 과정을 거치면서 윗면에 있는 수를 써봅니다.

①→ | 1 | 2 |　　②→ | 3 |

🏁 TOP 사고력

01

[정답] 4개

[풀이]

색칠된 칸에 넣을 수 있는 가장 작은 수를 구하면 색칠된 칸에는 가장 작은 수보다 큰 수는 모두 들어갈 수 있습니다. 따라서, 3, 4, 5 □로 놓으면 □ 안에는 6, 7, 8, 9를 넣을 수 있습니다.

02

[정답] 4번

[풀이]

1번, 2번, 3번, 4번을 이동했을 때 갈 수 있는 ○을 모두 색칠해 보면 4번을 이동하면 모든 ○를 모두 갈 수 있습니다.

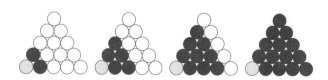

03

[정답] 1

[풀이]

규칙에 맞게 순서대로 아래에서부터 채워 나갑니다.

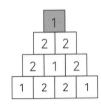

04

[정답] 자르는 순서: ① → ① → ②

[풀이]

테이프에서 찾을 수 있는 가장 큰 두 자리 수는 96입니다. 따라서, 96만 남겨 놓으려면 처음에는 왼쪽을 버리고 다시 왼쪽을 버리고 남은 4개의 수 9, 6, 8, 3에서 오른쪽을 버리면 96만 남습니다.

| 2 | 7 | 9 | 1 | 3 | 8 | 6 | 4 | 1 | 7 | 3 | 4 | 9 | 6 | 8 | 3 |

왼쪽을 버립니다.

| 1 | 7 | 3 | 4 | 9 | 6 | 8 | 3 |

왼쪽을 버립니다.

| 9 | 6 | 8 | 3 |

오른쪽을 버립니다.

| 9 | 6 |

4. 문제를 해결하는 방법

동물과 다리의 개수

몸통 8개에 다리를 2개씩 그려 보시오. 동물 8마리의 다리가 모두 2개씩이라면 다리는 모두 몇 개입니까? 16개

다리가 모두 22개가 되도록 몸통에 다리를 2개씩 더 그려 보시오. 몇 마리에 다리를 2개씩 더 그려야 합니까? 3마리

□ 안에 학과 거북이가 몇 마리씩 있는지 써넣으시오.

학 : 5 마리

거북이 : 3 마리

🌱 타조와 코끼리가 모두 7마리가 있는데 다리를 모두 세어 보니 20개입니다. □ 안에 타조와 코끼리는 각각 몇 마리씩 있는지 쓰시오.

타조 : 4 마리

코끼리 : 3 마리

[풀이]

모두 다리가 2개이면 다리의 개수는 모두 14개입니다. 이 때, 한 마리에 다리 2개씩을 더하면 다리의 개수가 2개씩 늘어나므로 3마리를 그리면 다리의 개수는 모두 14+2+2+2=20(개)가 됩니다. 따라서, 다리가 4개인 코끼리는 3마리, 타조는 나머지 4마리입니다.

탐구주제
1 문제를 해결하는 다양한 방법

닭과 강아지의 수에 따라 전체 다리 수를 계산하여 표를 완성해 보시오.

닭의 수	5	4	3	2	1	0
강아지의 수	0	1	2	3	4	5
전체 다리 수	10	12	14	16	18	20

닭이 한 마리씩 줄고 강아지가 한 마리씩 늘어날 때마다 전체 다리 수는 얼마씩 늘어납니까?

2개씩 늘어납니다.

닭과 강아지가 각각 몇 마리인지 써넣으시오.

닭 : 1 마리

강아지 : 4 마리

[풀이]

닭이 하나 줄어들면 전체 다리 개수는 2개가 줄어드는데 강아지가 한 마리의 다리의 개수 4개가 늘어났으므로 결과적으로 전체 다리의 개수는 2개씩이 더 늘어납니다. 표를 완성한 다음 전체 다리 수가 18개가 될 때의 닭과 강아지의 수를 구합니다.

8대가 모두 두발자전거라고 가정해 보시오. 바퀴는 모두 몇 개입니까?

16개

두발자전거를 세 발 자전거로 하나씩 바꿀 때마다 바퀴의 수는 몇 개씩 늘어납니까?

1개씩 늘어납니다.

□ 안에 두발자전거와 세 발 자전거의 수를 써넣으시오.

두발자전거 : 5 대

세 발 자전거 : 3 대

[풀이]

두발자전거의 바퀴 2개가 줄지만 세 발 자전거의 바퀴 3개가 늘어나므로 전체 바퀴 수는 3-2=1(개)가 늘어납니다.

주머니 7개에 사탕이 2개 또는 3개씩 들어 있습니다. 모든 사탕의 개수가 20개일 때, 사탕 2개가 들어 있는 주머니는 몇 개입니까?

1개

[풀이]

모든 주머니의 사탕이 2개씩이면 모두 14개인데 주머니 하나를 사탕 3개로 바꾸면 전체 개수가 1개씩 늘어납니다. 따라서 20개가 되려면 6개의 주머니가 사탕이 3개씩 들어 있고, 나머지 1개에 사탕 2개가 들어 있어야 합니다.

탐구 유형 1-1   **나무심기**

[정답] (1) 2그루

(2) 2명

[풀이]

6명 모두 2그루씩 나무를 심으면 2그루의 나무가 남는데 2명이 하나씩을 더 심어서 3그루씩을 심는다고 생각하면 3그루씩을 심는 사람은 2명, 나머지 4명은 2그루씩의 나무를 심는 사람입니다.

연습 01

[정답] 3명

[풀이]

5명이 3개씩의 초콜릿을 먹었다고 생각하면 남는 초콜릿 3개를 3사람이 하나씩 더 먹어 4개씩 먹을 수 있습니다. 따라서, 4개씩 초콜릿을 먹은 사람은 3명입니다.

02

[정답] 3번

[풀이]

모두 한 칸씩 계단을 올라가면 14칸에서 8칸을 제외한 6칸이 남게 됩니다. 이때 3칸을 올라가려면 2칸씩을 더 올라가야 하므로 남은 6칸에서 세 번은 3칸씩 5번은 1칸씩 올라간 것입니다.

03

[정답] 6일

[풀이]

8일간 모두 2개씩 달걀을 먹었다면 4개의 달걀이 남습니다. 이때, 4개의 달걀을 먹은 날은 2개의 달걀을 2번 더 먹을 수 있으므로 모두 2일입니다. 따라서, 달걀을 2개씩 먹은 날은 8-2=6(일)입니다.

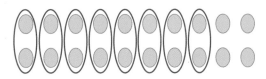

69쪽

탐구 유형 1-2   **깜이가 해결한 퍼즐**

[정답] (1) 20점   (2) 1점
(3) 깜이가 해결하지 못한 퍼즐의 개수는 4개이므로 깜이가 해결한 퍼즐의 개수는 6개입니다.

[다른 풀이]

깜이가 퍼즐을 모두 해결하지 못했다고 하면 10점인데 퍼즐을 하나 해결할 때마다 점수가 1점오르고 16점을 받았으므로 깜이가 해결한 퍼즐은 모두 6개입니다.

01

[정답] 8개

[풀이]

냥이가 모든 문제를 맞았다고 하면 10점씩 10문제이므로 모두 100점입니다. 하나 틀릴 때마다 전체 점수는 5점이 줄어드는데 맞은 점수가 90점이므로 두 문제를 틀렸습니다. 따라서, 냥이가 맞은 문제의 개수는 10-2=8(개)입니다.

[다른 풀이]

냥이가 모든 문제를 틀렸다고 하면 5점씩 10문제이므로 모두 50점을 받아야 하는데 실제 받은 점수가 90이므로 40점을 더 받았습니다. 이 때, 한 문제를 맞출 때마다 5점씩을 더 받으므로 5+5+5+5+5+5+5+5=40에서 깜이가 맞은 문제는 8개입니다.

70쪽

02

[정답] 2개

[풀이]

5발이 모두 3점을 얻었다고 하면 모두 15점인데 5점짜리를 맞으면 점수는 2점이 더 올라갑니다. 따라서 전체 맞은 점수 21점에서 15점을 빼면 6점이고 5점은 3발을 쏜 것입니다. 이 때, 3점에 맞은 화살은 5-3=2(개)입니다.

[다른 풀이]

5발이 모두 5점이라면 25점이 되야 하고 실제 받은 점수가 21점이므로 4점만큼 점수가 줄어들어야 합니다. 5점이 3점이 되면 2점씩 전체 점수가 줄어들기 때문에 3점에 맞은 화살은 2개입니다.

[정답] 4대

[풀이]
6대의 택시에 모두 2명이 탔다고 하면 모두 12명입니다. 이 때, 나머지 2명은 3명씩 있는 택시에 타게 되므로 3명이 탄 택시는 모두 2대이고 2명씩 탄 택시는 6-2=4(대)입니다.

[다른 풀이]
6대의 택시에 모두 3명씩 탔다고 하면 18명이 타게 되는데 실제 탄 승객은 14명이므로 18-14=4(대)의 택시가 2명이 탄 택시입니다.

71쪽

탐구주제
2 그림 그려 해결하기

그림을 그려서 깜이와 냥이의 구슬 개수의 관계를 나타내었습니다. □ 안에 알맞은 수를 써넣으시오.

나머지 구슬 개수의 관계를 나타내었습니다. □ 안에 알맞은 이름을 써넣으시오.

구슬의 개수가 적은 사람의 순서대로 이름을 쓰시오.

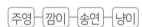

[풀이]
두 그림을 비교하면 깜이는 송연이와 주영이 사이에 있게 됩니다.

72쪽

송연이와 주영이 깜이의 구슬 개수의 관계를 그림으로 나타내었습니다. □ 안에 송연이와 주영이의 구슬의 개수를 써넣으시오.

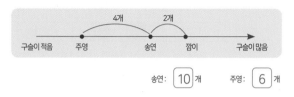

송연: [10]개   주영: [6]개

냥이의 구슬 개수의 관계까지 나타내었습니다. □ 안에 냥이의 구슬의 개수를 써넣으시오.

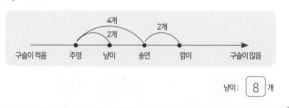

냥이: [8]개

[풀이]
깜이가 가지고 있는 구슬의 개수가 12개이므로 차례대로 계산합니다.

73쪽

탐구 유형 2-1   차가 서 있는 순서

[정답] (1)

(2) ①, ②, ④

[풀이]
첫 번째에서 초록색 차 - 노란색 차의 순서를 정하고 나면 순서는 빨간색 차 - 초록색 차 - 노란색 차 - 보라색 차의 순서가 됩니다.

01

[정답]
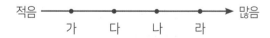

[풀이]
그림을 그려서 생각합니다.

탐구 유형 2-2 　칸 뛰어세기

[정답] (1)

(2)

6칸

 연습 01

[정답] 5칸

[풀이]

깜이와 냥이가 뛴 칸을 색칠한 다음 생각합니다.

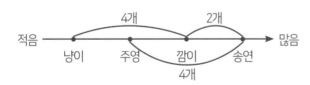

냥이가 처음 왼쪽　냥이가 다음으　깜이가 오른쪽
으로 2칸 뛴 칸　로 몇 칸 뛴 칸　으로 3칸 뛴 칸

따라서 냥이는 깜이쪽으로 5칸을 뛰었습니다.

 75쪽

연습 02

[정답] 10개

[풀이]

그림을 그려서 생각합니다.

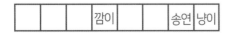

냥이가 가진 구슬이 8개이므로 주영이가 가진 구슬은 10개입니다.

연습 03

[정답] 7칸

[풀이]

설명에 맞게 칸을 직접 그려서 생각해 봅니다.

			깜이			송연	냥이

탐구 유형 2-3 　군고구마의 개수

[정답] (1) 5개　　(2) 10개

[풀이]

냥이가 먹은 군고구마와 남은 군고구마를 합한 5개가 아버지가 전체의 절반을 남긴 개수입니다. 따라서 아버지가 드신 고구마는 모두 5개이고 처음에 5+5=10(개)의 고구마가 있었습니다.

연습 01

[정답] 16개

[풀이]

그림을 그려서 생각해 봅니다.

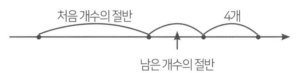

남은 개수의 절반이 4개이므로 냥이가 먹은 사탕이 4개이고, 깜이가 먹은 사탕은 전체의 절반으로 4+4=8(개)입니다. 따라서 처음에 있던 사탕은 8+4+4=16(개)입니다.

 77쪽

연습 02

[정답] 20개

[풀이]

절반을 먹기 전 방울토마토의 개수는 6+4=10개입니다. 10개가 절반의 개수와 같으므로 처음에는 10개의 두 배인 20개의 토마토가 있었습니다.

연습 03

[정답] 12

[풀이]

처음 자르기 전 양쪽의 리본 길이는 3+3=6입니다. 따라서 양쪽의 길이가 6씩 같으므로 처음 리본의 길이는 6의 두 배인 12입니다.

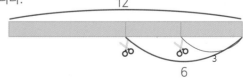

78쪽

 TOP 사고력

01

[정답]

점수	0점	1점	3점	5점
개수	1	5	2	1

[풀이]

0점이 1발이고 3점이 2발이므로 16점에서 6점을 빼면 6발에서 10점을 얻은 것입니다. 이때, 1점과 5점의 개수를 각각 구하면 5점이 1개일 때, 나머지 5개가 모두 1점이므로 1점은 5발, 5점은 1발을 쏘았습니다.

02

[정답] 2개

[풀이]

세 가지 색의 클립의 개수가 모두 7개이고 파란색 클립이 빨간색 클립 개수의 두 배, 노란색 클립이 파란색 클립 개수의 두 배이므로, 빨간색 클립의 개수를 1개라 하면 파란색 클립은 2개, 노란색 클립은 4개이며 1+2+4=7(개)입니다.

79쪽

03

[정답] 39마리

[풀이]

남아 있는 양의 수를 그림을 그려서 생각해 봅니다.

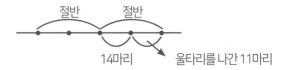

따라서, 전체 양의 수의 절반은 14+11=25(마리)이며 남아 있는 양은 25+14=39(마리)입니다.

04

[정답] 7개

[풀이]

토끼가 가진 사탕이 고양이가 가진 사탕보다 7개가 많은데 고양이와 거북이가 가진 사탕이 모두 10개이므로 토끼가 가진 사탕도 전체의 절반인 10개입니다. 따라서, 고양이가 가진 사탕은 10-7=3(개)이며 거북이는 10-3=7(개)의 사탕을 가지고 있습니다.

TOP 사고력 쑥쑥

81쪽

1. 기준과 분류

01

[정답]

[풀이]

㉠은 연필을 한 번도 떼지 않고 그릴 수 있고, 선 1개로 이루어진 글자입니다.

㉡은 연필을 한 번도 떼고 그릴 수 없으면서 선 여러 개가 만나서 이루어진 글자입니다.

02

[정답]

[풀이]

분류 1은 네모 모양, 분류 2는 세모 모양으로 분류한 것입니다.

82쪽

03

[정답]

[풀이]

깜이는 색깔별로 구분하였는데 ㉣ 차의 색이 다르고 냥이는 사용 용도에 따라서 차들을 개인이 타는 승용차와 여러 사람이 타는 승합차(버스)의 두 가지로 분류하였습니다.

04

[정답]

[풀이]

②, ⑤, ⑦번은 각각 책을 종류별로 위인전, 과학책, 동화책으로 분류한 것입니다.

05

[정답] 나

06

[정답]

분류 기준
사탕의 모양   사탕의 색깔

[풀이]

사탕의 모양은 ♥, ★, ● 모양의 3가지로 분류할 수 있고, 사탕의 색깔은 빨간색, 노란색, 보라색, 초록색의 4가지로 분류할 수 있습니다.

07

[정답]

분류 기준
다니는 곳   색깔

[풀이]

다니는 곳으로 분류하면 땅 위를 다니는 것 3개, 물 위를 다니는 것 2개, 하늘을 다니는 것 2개로 나눌 수 있습니다.

08

[정답]

분류 기준
동물의 다리 개수   동물이 사는 곳

[풀이]

뱀, 물고기는 다리가 없고, 사자, 거북, 기린, 코끼리는 다리가 4개이며 오리, 학, 닭은 다리가 2개입니다.

09

[정답]

단어의 색깔	파란색	빨간색	노란색
개수(개)	2	3	3

[풀이]

단어의 뜻에 관계없이 색깔만 분류해서 셉니다.

10

[정답] 4개

[풀이]

개수를 세어 표로 나타냅니다.

지우개의 모양			
개수(개)	2	6	4

가장 많이 팔린 모양은 6개이고 가장 적게 팔린 모양은 2개입니다.

11

[정답]

[풀이]

사과는 가 과일가게에서만 팔린 개수를 알고 있으므로 서로 비교할 수 없습니다.

12

[정답] 2개

[풀이]

고양이를 좋아하는 학생은 앵무새를 좋아하는 학생보다 6-1=5(명) 더 많습니다.

조사한 전체 학생 수는 9+6+1=16(명)입니다.

13

[정답] 3명

[풀이]
전체 조사한 친구들이 12명이므로 떡볶이를 좋아하는 친구는
12-2-1-6=3(명)입니다. 따라서, 피자를 좋아하는 학생은 떡
볶이를 좋아하는 학생보다 6-3=3(명) 더 많습니다.

14

[정답] 5명

[풀이]
야구를 좋아하는 남학생은 3+2=5(명)이므로 축구를 좋아하
는 여학생은 전체 20명에서 나머지 칸의 수를 모두 빼면 20-
3-7-5=5(명)입니다.

15

[정답]

	검은색	노란색	합계
짧은 우산의 개수(개)	4	3	7
긴 우산의 개수(개)	8	5	13
합계	12	8	20

[풀이]
가로줄과 세로줄에 있는 합계를 이용하여 칸 안의 수를 먼저
구한 다음 나머지 합계를 구합니다.

16

[정답] 1명

[풀이]
가로줄과 세로줄에 있는 합계를 이용하여 각 칸 안의 수를 구
할 수 있습니다.

	과학자	연예인	의사	합계
여학생 수(명)	1	7	1	9
남학생 수(명)	3	5	4	12
합계	4	12	5	21

2. 다양한 방법의 수

01

[정답] 12가지

[풀이]
떡볶이, 라면, 튀김의 종류 중 하나를 고르는 것이므로 모두
3+4+5=12(가지)방법이 있습니다.

02

[정답] 3가지

[풀이]
주사위를 던졌을 때, 주사위의 눈 1, 2, 3, 4, 5, 6 중에 짝수는
2, 4, 6의 3가지가 있으므로 이 중 하나가 나오면 됩니다.

03

[정답]

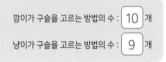

깜이가 구슬을 고르는 방법의 수: 10 개

냥이가 구슬을 고르는 방법의 수: 9 개

[풀이]
깜이는 10개 모두 고를 수 있고, 냥이는 깜이가 고른 공을 제
외하고 10-1=9(개)의 구슬을 고를 수 있습니다.

04

[정답] 8가지

[풀이]
위인전은 5가지이고 동화책은 3가지이므로 모두 5+3=8(가
지)중 하나를 고를 수 있습니다.

05

[정답] 6개

[풀이]

깜이네 집에서 문구점까지 가는 길이 3개가 있는데 각각 학교까지 가는 길이 2개씩 있으므로 깜이네 집에서는 모두 2+2+2=6(개)의 길이 있습니다.

06

[정답] 6개

[풀이]

만들 수 있는 십의 자리 숫자는 4, 8, 6의 3개가 있고 일의 자리 숫자는 3과 5의 2개가 있으므로 십의 자리 숫자마다 일의 자리 숫자가 2개 올 수 있습니다. 따라서, 만들 수 있는 두 자리 수는 모두 2+2+2=6(개)입니다.

07

[정답] 8가지

[풀이]

과일이 2개, 채소가 4개이므로 과일을 하나 고를 때마다 살 수 있는 채소가 4개씩 있으므로 과일과 채소를 고르는 방법은 모두 4+4=8(가지)가 있습니다.

[다른 풀이]

채소를 먼저 하나 고르면 과일을 고르는 방법이 2가지씩 있으므로 과일과 채소를 고르는 방법은 모두 2+2+2+2=8(가지)가 있습니다.

08

[정답] 2가지

[풀이]

노란색 사탕이 빨간색 사탕과 이웃하지 않게 먼저 넣으면 나머지 사탕을 넣은 방법은 모두 두 가지가 있습니다.

09

[정답] 6가지

[풀이]

모자 하나마다 각각 신발을 3개씩 연결할 수 있습니다.

10

[정답] 5가지

[풀이]

3은 1에만, 7과 6은 1과 5에만 연결합니다.

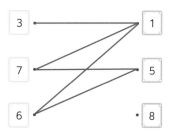

11

[정답] 6가지

[풀이]

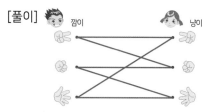

12

[정답] 8가지

[풀이]

색연필 4개 중 하나를 고를 때마다 지우개를 사는 방법이 2가지씩 있으므로 모두 2+2+2+2=8(가지)의 방법이 있습니다.

[다른 풀이]

지우개 2개 중 하나를 먼저 고르면 색연필을 고르는 방법이 4가지씩 있으므로 모두 4+4=8(가지)의 방법이 있습니다.

13

[정답] 3가지

[풀이]

3개의 상자 중에서 2개의 상자를 고르는 방법은 3개의 상자 중에서 1개를 고르는 방법과 같습니다.

14

[정답] 4가지

[풀이]

한 점을 제외하고 나머지 세 점을 이어서 세모 모양을 만들 수 있습니다. 따라서, 점 4개 중에 제외하는 점 1개를 고르는 방법과 같습니다.

15

[정답] 6가지

[풀이]

4개를 2개씩 묶는 방법의 수와 같습니다.

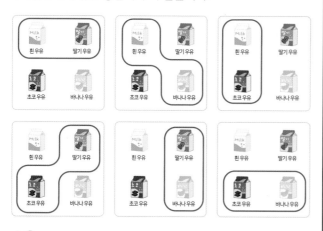

16

[정답] 6가지

[풀이]

6개 중에 1개를 고르는 방법의 수와 같으므로 모두 6가지 방법이 있습니다.

3. 조건에 맞게 직접 해 보기

01

[정답]

[풀이]

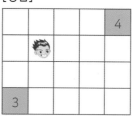

02

[정답] 다

[풀이]

가 : 가로로 1칸, 세로로 4칸 → 5칸

나 : 가로로 2칸, 세로로 4칸 → 6칸

다 : 가로로 1칸, 세로로 3칸 → 4칸

라 : 세로로 3칸, 세로로 2칸 → 5칸

03

[정답] (1)

(2)

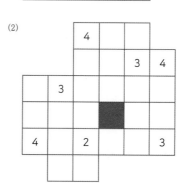

[풀이]

가장 작은 수인 2가 쓰여진 칸을 기준으로 찾습니다.

99쪽

04

[정답]

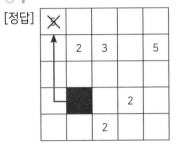

[풀이]

2가 쓰여진 칸을 기준으로 찾았을 때 한 칸만 잘못된 수가 있어야 합니다. 5가 쓰여진 칸은 4가 되어야 합니다.

05

[정답] 3개

[풀이]

가와 나 칸에서 2칸씩 모두 이동할 수 있는 점을 찾습니다.

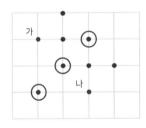

100쪽

06

[정답] 6개

[풀이]

07

[정답] 8개

[풀이]

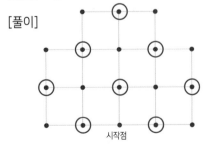

101쪽

08

[정답] ㉡

[풀이]

㉠과 ㉢은 5번 만에 이동할 수 있지만 ㉡은 짝수번을 이동해야만 갈 수 있습니다.

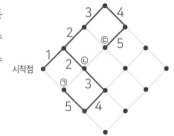

09

[정답] 7번

[풀이]

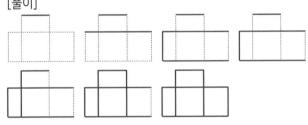

그리는 순서는 여러가지가 있습니다.

102쪽

10

[정답]

A Ⓑ E F
H K Ⓜ Ⓟ
Ⓡ T X Y

11

[정답] ㉢

[풀이]

㉠ ㉡ ㉣

여러 가지 방법이 있습니다.

12

[정답] 5

[풀이]

두 번째 접을 때, 가장 바닥에 쓰여 있던 5가 아래로 내려옵니다.

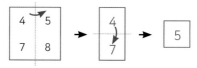

13

[정답] 8

[풀이]

① 과정을 거치면 남는 칸과 수 : ☐1☐2☐3☐4☐5☐6☐7☐8

② 과정을 거치면 남는 칸과 수 : ☐5☐6☐7☐8

③ 과정을 거치면 남는 칸과 수 : ☐7☐8

④ 과정을 거치면 남는 칸과 수 : ☐8

14

[정답] 21

[풀이]

계속 왼쪽을 버려 나가면 오른쪽에 있는 수는 계속 남게 되고 두 칸이 남았을 때는 오른쪽 끝의 2와 1이 남게 됩니다.

15

[정답] 규칙의 순서 : ① ➡ ① ➡ ② ➡ ①

[풀이]

3이 있는 칸이 남아있어야 하므로 처음에 오른쪽을 버리고 1부터 8까지 남았을 때도 오른쪽을 버리면 1, 2, 3, 4가 남습니다. 이때는 왼쪽 1, 2를 버리고 3, 4가 남으면 오른쪽 4를 버리면 됩니다.

4. 문제를 해결하는 방법

01

[정답] 1마리

[풀이]

5마리 모두 타조라고 하면 전체 다리의 개수는 10개입니다. 이때, 타조를 기린으로 바꾸면 전체 다리가 2개씩 늘어납니다. 실제 다리의 개수가 18개이므로 모두 4마리를 기린으로 바꾼 것입니다. 따라서 기린은 4마리, 타조는 5-4=1(마리)입니다.

02

[정답] 2대

[풀이]

10대 모두 외발자전거라고 하면 바퀴의 수는 10개입니다. 이때, 외발자전거를 두발자전거로 한 대 바꿀 때마다 전체 바퀴의 개수가 1개씩 늘어나므로 모두 4대를 두발 자전거로 바꾼 것입니다. 따라서, 두발자전거는 4대, 외발자전거는 10-4=6(대)이고, 외발자전거가 두발자전거보다 6-4=2(대)많습니다.

03

[정답] 4명

[풀이]

사탕을 2개씩 7개로 묶었을 때, 4개의 사탕이 남습니다. 이때, 3개씩 먹는 사람으로 바꾸면 1개씩 사탕이 늘어나므로 3개씩 먹는 사람은 4명이 됩니다.

04

[정답] 4일

[풀이]

5일 모두 3박스씩 수확했다고 하면 모두 15박스가 되야 합니다. 3박스를 4박스로 바꾸면 전체 박스의 개수가 1개씩 늘어나고 실제 16박스이므로 모두 1개의 박스를 4박스로 바꾼 것입니다. 따라서, 4박스를 수확한 날은 1일, 3박스를 수확한 날은 5-1=4(일)입니다.

05

[정답] 1문제

[풀이]

6문제를 모두 틀렸다고 하면 12점입니다. 이때, 틀린 문제를 맞은 문제로 바꿀 때마다 2점씩 점수가 올라갑니다. 실제 얻은 점수가 22점으로 10점이 올랐으므로 5문제를 맞은 문제로 바꾸었고 틀린 문제는 6-5=1(문제)입니다.

06

[정답] 3개

[풀이]

5발이 모두 5점에 맞았다면 25점이 되어야 합니다. 이때, 5점을 7점으로 바꾸면 전체 점수가 2점씩 높아집니다. 실제 맞은 점수가 31점이므로 6점이 올랐으므로 7점으로 바꾼 것이 3개입니다.

07

[정답] 5일

[풀이]

6일간 모두 5쪽을 읽었다면 30쪽을 읽어야 합니다. 이때, 5쪽을 10쪽으로 바꿀 때마다 5쪽씩 늘어납니다. 실제로는 55쪽을 읽어서 25쪽이 늘어났으므로 10쪽으로 바꾼 날은 5일입니다.

08

[정답] 3개

[풀이]

8개의 주머니에 모두 5개씩 구슬을 넣었다면 넣은 구슬은 모두 40개입니다. 이때 6개의 구슬로 바꿀 때마다 전체 구슬은 1개씩 늘어나고 실제 구슬은 45개이므로 6개의 구슬로 바꾼 것은 5개이고 5개의 구슬은 8-5=3(개)입니다.

09

[정답] 12개

[풀이]

그림을 그려서 생각해 봅니다.

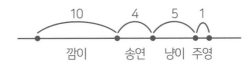

그림에서 여우는 거북이보다 구슬 2개를 많이 가지고 있으므로 모두 10+2=12(개)의 구슬을 가지고 있습니다.

10

[정답] 1자루

[풀이] 그림을 그려서 생각해 봅니다.

그림에서 깜이가 가진 연필이 20자루의 절반인 10자루이므로 송연이는 4자루, 냥이는 5자루를 가지고 있습니다. 따라서, 주영이가 가진 연필은 20-10-4-5=1(자루)입니다.

11

[정답]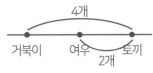

[풀이]

조건에 맞게 펭귄, 원숭이, 돼지를 그려 놓고 생각해 봅니다. 이때, 호랑이는 원숭이 바로 옆에 있는데 원숭이가 제일 왼쪽에 있으므로 호랑이는 원숭이와 돼지 사이에 있어야 합니다.

12

[정답] 2칸

[풀이]

깜이와 냥이가 한 번씩 뛴 곳을 색칠하면

따라서 깜이가 냥이 쪽으로 두 칸을 뛰면 두 사람이 같은 칸에서 만나게 됩니다.

111쪽

13

[정답]

					■				

[풀이]

냥이 - 송연 - 깜이의 순서대로 위치를 정합니다.

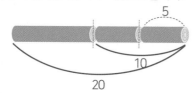

깜이는 송연이의 오른쪽에 있게 됩니다.

14

[정답] 20

[풀이]

절반으로 한 번 자른 길이가 각각 5의 두 배인 10이고 자르기 전의 통나무의 길이는 10의 두 배인 20입니다.

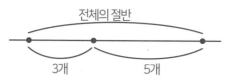

112쪽

15

[정답] 16개

[풀이]

절반을 먹고 난 후의 그림을 그려서 생각해 봅니다.

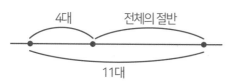

전체의 절반이 3+5=8(개)이므로 처음 있던 도너츠는 8개의 두 배인 16개입니다.

16

[정답] 14대

[풀이]

그림을 그려서 생각해보면 차의 절반이 빠져나가고 4대가 더 들어왔는데 모두 11대이므로 전체의 절반은 11-4=7(대)입니다.

따라서, 처음에 있던 차는 7대의 두 배인 14대입니다.

천종현수학연구소는

천종현 연구소장 아래 사고력 수학 교재를 써온 집필진으로 이루어져 있습니다. 사고력 수학을 가르치는 것으로부터 시작하여 사고력, 창의력 교재를 개발하면서 원리로부터 시작하는 단계적 학습을 중요하게 생각하는 실전에 강한 사고력 전문가 집단입니다. 원리를 이해하는 공부가 아니라 방법을 암기하는 수학 공부법에 대한 문제 인식을 가지고 아이들이 쉽고 재미있게 공부하면서도 생각하는 힘이 자라는 수학 컨텐츠를 연구하고 있습니다.

실력을 쌓는 수학 공부는 연산도 연습과 함께 원리가 중요합니다.
원리셈은 생활 속 소재와 교구 그림을 통해 쉽게 원리를 익히고, 다양한 문제로 재미있게 반복 연습할 수 있는 연산 교재입니다.

5·6세 단계

수와 수학을 처음 배우는 단계

수 읽기, 세기, 쓰기를 붙임 딱지를 활용하여 재미있게 공부하도록 구성

매 단원의 마지막은 쉽고 재미있는 내용의 사고력 수학

6·7세 단계

수를 세어 덧셈, 뺄셈의 개념을 아는 단계

20까지의 수를 차례로 세어 덧셈, 뺄셈을 이해하고 생활 속 소재와 흥미 있는 연산 퍼즐을 통해 재미있게 공부

7·8세 단계

한 자리 덧셈, 뺄셈을 확실히 잡아가는 단계

받아올림, 받아내림 없는 덧셈, 뺄셈 다지기와 10의 보수 학습을 통한 받아올림, 받아내림의 개념 잡기

초등1 단계

초등 1학년 단계

받아올림, 받아내림 없는 두 자리 덧셈, 뺄셈과 받아올림, 받아내림이 있는 한 자리 덧셈, 뺄셈의 집중 연습

마지막 단원은 앱을 이용하여 시간을 재고 다른 친구들의 기록과 비교하는 집중 연산

초등2 단계

초등 2학년 단계

두 자리 덧셈, 뺄셈과 곱셈구구 그리고, 나눗셈의 개념 알기

마지막 단원은 앱을 이용하여 시간을 재고 다른 친구들의 기록과 비교하는 집중 연산

초등3 단계

초등 3학년 단계

세 자리 덧셈과 뺄셈과 두/세 자리 곱셈, 나눗셈

총 6개 단원으로 그 중 2개 단원은 앱을 이용하여 시간을 재고 다른 친구들의 기록과 비교하는 집중 연산

초등4 단계

초등 4학년 단계

큰 수의 곱셈과 나눗셈, 분수와 소수의 덧셈과 뺄셈, 자연수 혼합 계산

총 6개 단원으로 그 중 2개 단원은 앱을 이용하여 시간을 재고 다른 친구들의 기록과 비교하는 집중 연산

초등5·6 단계

초등 5, 6학년 단계

분모가 다른 분수의 덧셈, 뺄셈, 분수와 소수의 곱셈과 나눗셈

6학년 연산 비중이 낮은 것을 고려한 통합 연산 단계

총 6개 단원으로 그 중 2개 단원은 앱을 이용하여 시간을 재고 다른 친구들의 기록과 비교하는 집중 연산

예비 중등 단계

초등 6학년, 중등 1학년 단계

유리수의 혼합 계산과 방정식의 계산 2권으로 중등 수학을 처음 접하는 학생들 위한 원리 중심의 연산 교재

총 6개 단원으로 그 중 2개 단원은 앱을 이용하여 시간을 재고 다른 친구들의 기록과 비교하는 집중 연산

천종현수학연구소